Sigmund Freud

Le délire
et les rêves
dans la *Gradiva*
de W. Jensen

*Traduit de l'allemand
par Paule Arbex
et Rose-Marie Zeitlin*

PRÉCÉDÉ DE

Wilhelm Jensen

Gradiva
Fantaisie pompéienne

*Traduit de l'allemand
par Jean Bellemin-Noël
Préface de J.-B. Pontalis*

Gallimard

ŒUVRES DE SIGMUND FREUD
DANS LA MÊME COLLECTION

*Impression Bussière
à Saint-Amand (Cher),
le 5 avril 2006.
Dépôt légal : avril 2006.
1ᵉʳ dépôt légal dans la collection : décembre 1991.
Numéro d'imprimeur : 061431/1.*
ISBN 2-07-032674-8./Imprimé en France.

143575

Préface

LA JEUNE FILLE

À quoi tient le charme de la Gradiva? Déjà une hésitation pointe quand on écrit ce mot « Gradiva ». Que désigne-t-il au juste? Le récit de Jensen ou celui de Freud, qui redouble le premier plus qu'il ne l'interprète? Le marbre du musée Chiaramonti? Le fantôme que poursuit un jeune homme qu'effraient les femmes de chair ou Zoé Bertgang dont le prénom signifie « vie »? Comment pourrions-nous séparer la « fantaisie pompéienne » du commentaire savant, comment pourrions-nous disjoindre la sculpture qu'un vieil auteur, inspiré ce jour-là, a sortie de l'oubli et l'histoire qu'il a inventée, histoire qui a charmé Jung puis Freud puis les surréalistes puis tant d'autres et qui n'a pas fini, souhaitons-le, de gagner des lecteurs? Le héros, le docteur Norbert Hanold, nous dit Jensen, avait suspendu un moulage du bas-relief dans son cabinet d'archéologue; le docteur Sigmund Freud en avait placé un au pied de son divan d'analyste : ses patients immobiles tenaient donc sans cesse sous leur regard cette démarche inimitable. Gradiva, celle qui avance, tel le dieu Mars gradivus allant au combat, mais c'est ici au combat de l'amour. Et Gradiva rediviva, celle qui revit et va donner vie, forme, objet au désir. Quelle promesse

*pour les hystériques de la Berggasse, quelle illusion pour
chacun de nous!*

C'est Jung qui a recommandé à Freud la lecture de
Gradiva. Nous sommes en 1906. Aucun nuage alors, aucun
conflit entre les deux hommes qui se connaissent à peine
(seulement quelques lettres échangées). Freud ne résiste pas
au charme de la nouvelle ni à celui de Jung. Très vite,
pendant ses vacances d'été, comme saisi par la même impulsion contagieuse qui avait conduit Jensen à raconter son
histoire et Norbert Hanold à entreprendre son voyage, il
écrit son commentaire, qui sera publié l'année suivante pour
inaugurer une série intitulée Schriften zur angewandten
Seelenkunde, *série destinée à étendre le champ d'application
et par là l'audience de la psychanalyse* [1]. *Jung le félicite
dès réception du volume :* « Très honoré Monsieur le Professeur, votre Gradiva est magnifique. Je l'ai lue d'un
trait. »

La psychanalyse aimait en ce temps-là faire la preuve,
pour elle-même, pour le public, que ses trouvailles n'étaient
pas insensées, que l'imagination, la « fantaisie » du Dichter atteignait, par d'autres voies souvent plus courtes,
plus intuitives, la même contrée. Et quelle joie ce devait
être de découvrir un auteur, très probablement ignorant
de la jeune science, rendre sensible, comme en se jouant,
qu'on revient toujours à ses premières amours (formule
que Freud aimait à citer en français) et à même de

---

1. Cette série parut de 1907 à 1928. Elle comporte vingt mono-
graphies. Freud y publia aussi en 1910 son *Souvenir d'enfance de
Léonard de Vinci*. Bien que Freud ait déclaré, dans le texte de présentation de la collection, qu'elle était ouverte à des chercheurs de toute
obédience, ce sont principalement des psychanalystes (Abraham, Jones,
Rank, Pfister, etc.) qui y ont contribué. (Cf. *S.E.*, vol. IX, p. 248).

confirmer, mais sur un mode à la fois narratif et visuel,
que nos actes les plus déraisonnables sont dictés par des
impressions aussi persistantes qu'oubliées de notre enfance
et que des détails infimes — ici une démarche singulière,
la position d'un pied — décident du choix de l'objet
d'amour. Des notions difficiles à admettre pour la raison,
comme celle de refoulement, ou des processus complexes
comme ceux que suppose la formation du rêve et du délire,
sont, sous une forme littéraire, rendus manifestes sans qu'il
soit besoin d'argumenter, de fournir preuves et contre-
épreuves. Oui, tout est là, visible, décrit avec précision
et avec une sorte d'ingénuité : la nouvelle de Jensen est
comme une expérience naturelle capable de convaincre
profanes et récalcitrants. Avec elle, sans doute, la psy-
chanalyse n'« avance » pas — Freud n'apporte guère dans
son commentaire d'idées nouvelles, il est le premier à en
convenir — mais, et c'est peut-être un bénéfice plus grand,
elle y retrouve illuminé ce qu'elle a péniblement conquis.
On dirait que la Gradiva *met ses pas dans les siens et*
que du coup la science laborieuse acquiert la grâce, la
légèreté d'une jeune fille malicieuse et riche du seul savoir
auquel aimerait prétendre la psychanalyse : le savoir
d'amour.

*

Lieu de la scène : Pompéi. Freud le connaît bien par les
livres. Puis il l'a visité en 1902, non en voyage de noces
comme les « uniques Auguste » et les « adorables Grete »
mais avec son frère Alexander; il n'y passe pas moins, nous
rapporte Jones, des « moments enivrants ». Sur la difficulté
pour Freud d'atteindre Rome, lui-même et ses commentateurs
nous ont largement éclairés. Sur le trouble qui le saisit à

l'Acropole d'Athènes, nous n'ignorons pas non plus grand-chose. Dans ces deux lieux sacrés, l'image du Père était au rendez-vous. Mais à Pompéi — serait-ce un site maternel? — apparemment pas d'angoisse, pas d'Unheimlichkeit ou de trouble de mémoire. C'est que la mémoire y est heureuse, c'est que l'étrange et le familier y font bon ménage. On y imagine un Freud joyeux et pour une fois, tel Zoé Bertgang, conforme à son nom, un Freud émerveillé, disert le soir à l'Albergo et tout confiant dans les pouvoirs de l'analyse. Ainsi donc il est bien vrai que le passé peut être tout entier conservé, que pour un peu on pourrait croiser les habitants de l'ancienne petite cité et leur faire la conversation mi en grec ou en latin mi en allemand, dans une langue d'avant la confusion des langues. Ici, les revenants sont aimables plus que redoutables. Ici pas de morts exigeant qu'on leur rende des comptes et qui vous font honteux et coupables. Simplement un accident de la Nature, une éruption violente surgie des entrailles de la Terre, a arrêté dans leur mouvement des hommes, des femmes, des enfants et ce sont eux dont l'existence paraît dès lors accidentelle. Les voici, ni tout à fait morts ni tout à fait vivants, mais en suspens dans le temps, pour un instant, et que cet instant dure une seconde ou deux millénaires est sans importance. On peut, sans forcer la note, se représenter Freud alors au milieu de son âge confondre — à l'instar du jeune Norbert Hanold ou du vieux Jensen, à cette heure chaude de midi où la vapeur de l'air dissout les contours des formes, efface les frontières du rêve et de l'éveil jusqu'à rendre à la vision *son mystère — quelque visiteuse avec telle ou telle de ses patientes, Irma, Emma, Dora ou même avec Gisela, son amour d'enfance, sa Gradiva à lui, restée, en suspens, à Freiberg, sous l'écran et dans l'écrin (et l'écrit...) du souvenir, pour l'éternité.*

La passion de Freud pour l'archéologie est chose avérée [1]. *Sa collection d'antiques, sa bibliothèque (demeurée toujours plus riche en ouvrages d'archéo- que de psychologie), la fréquentation, dès l'enfance, de la Bible illustrée de Philippson en sont les signes les plus notoires. Cette passion, Freud la partage avec la plupart de ses contemporains. Schliemann, l'« inventeur » de Troie puis de Mycènes, est un des héros culturels de l'époque. Il l'est pour Freud à un double titre : d'abord pour avoir fait resurgir d'une antiquité lointaine et presque mythique des cités enfouies et aussi pour avoir confié qu'il fallait chercher dans ses premières années l'origine de sa vocation pourtant tardive (Schliemann fut longtemps un marchand [2]). Ainsi se conjuguent parfois l'archaïque de l'humanité et celui de l'individu.*

La métaphore archéologique est séduisante : elle satisfait, au risque de les confondre, l'attrait des origines et la passion des profondeurs; et surtout elle donne à croire que, de fragment en fragment, de reste en reste, de ruine en débris, tout le perdu peut être ramené à la lumière du jour. Aussi bien, tout au long de son œuvre, des lettres à Fliess aux « Constructions », Freud cède-t-il à cette séduction. Mais, semble-t-il, toujours avec quelque réserve, comme si la métaphore en question portait trop d'évidence et qu'il convenait, s'agissant du psychisme, de lui donner une orientation bien particulière, bien différente en tout cas de celle d'un Schliemann.

On se souvient, par exemple, que dans les Études sur

1. Cf. Lydia Flem, « L'archéologie chez Freud » in *L'archaïque* (*Nouvelle revue de psychanalyse*, nº 26, automne 1982).
2. Sur le destin fascinant de Schliemann, cf. H. Schliemann, *Ma vie*, Éd. Correa, 1956; Emil Ludwig, *Schliemann de Troie*, Nouvelles Éditions latines, 1947, et surtout la pièce de Bruno Bayen, *Schliemann, Épisodes ignorés*, Gallimard, 1982.

l'hystérie, *alors que s'impose déjà l'idée de stratification psychique, de couches superposées, ce sont des* archives en désordre *qu'évoque Freud, à savoir des inscriptions, rébus et hiéroglyphes, chiffres et lettres, non des objets, fussent-ils fragmentaires. Archives à déchiffrer, à classer, à reconstituer, lacunes à cerner, langues mortes à traduire. Champollion au-delà de Schliemann. Et même quand l'analogie avec l'archéologie est la plus forte, même quand Freud va jusqu'à confondre le travail de l'archéologue et le sien, à assimiler leurs outils — pioches, pelles et bêches — et leur visée — déterrer une demeure détruite et ensevelie — il oriente toujours la comparaison dans le même sens :* saxa loquuntur. *Les pierres, oui, mais sous condition qu'elles parlent ! Autrement dit, en psychanalyse, nous n'aurions jamais affaire à une résurrection intégrale du passé, — ce qui était le vœu et sans doute la folie de Schliemann toujours prêt, on le sait, à donner quelques coups de pouce et de pioche pour rendre plus convaincante la « résurrection ». Si celle-ci, aux yeux de Freud, est exclue, ce n'est pas seulement par un scrupule soucieux de ne pas trop avancer dans la voie d'une reconstruction qui fait nécessairement violence à la réalité. C'est surtout parce que le passé, et même le plus lointain, archaïque ou infantile, est toujours du passé* présent *et donc jamais un matériau brut qu'il suffirait de faire apparaître, en s'entourant de précautions, pour le retrouver tel quel. Si tentante que soit l'image de l'enseveli et de l'exhumé, elle est fausse. Le refoulé n'est pas l'enseveli, l'enfoui maintenu à la fois intact et inerte; il n'échappe pas à l'action du refoulement, force active qui dissimule, déforme et n'a jamais fini d'être à l'œuvre dans le présent. Et ce qu'on nomme le retour du refoulé n'est pas une résurgence au grand jour, car ce retour s'effectue par des voies indirectes, compliquées, différentes de celles qui ont produit le refoulement. L'analyse – d'où son nom – n'est pas simple exhumation ; qu'elle interprète ou reconstruise, elle opère sur des éléments disjoints, elle remanie un passé, lui-même aussi loin, aussi profond qu'on aille, déjà soumis à des remaniements : déjà fiction. Rien de moins proustien que Freud...*

La fameuse proposition : « L'inconscient ignore le temps » a fait dire bien des sottises. Oui, il est hors du temps linéaire, irréversible, secondarisé, il se soucie comme d'une guigne de nos repères chronologiques, il brouille les époques – chacun de nos rêves en témoigne –, il peut faire du passé notre avenir, du futur notre mémoire et du présent parfois un instant d'éternité. Mais il n'échappe pas pour autant à toute expérience du temps et à ce qui en est sans doute le noyau : l'expérience de la perte et de l'absence. L'inconscient, ce sont les temps mêlés, ce n'est pas de l'intemporel.

N'est-ce pas ce qu'illustre l'admirable représentation de la Ville éternelle dans Malaise dans la civilisation *? « Imaginons, écrit Freud, qu'elle ne soit pas un lieu d'habitations humaines mais un être psychique aussi riche et aussi lointain, où rien de ce qui s'est une fois produit ne se serait perdu et où toutes les phases de son développement subsisteraient encore à côté des anciennes* [1]. *» Eh bien, ce qui nous serait alors accessible, ce n'est pas une ville, ce n'est pas la Rome de la République, de l'Empire ou de la Renaissance, c'est un assemblage et pour ainsi dire un « collage » de villes, une multiplicité de villes qui ferait coexister l'étrusque et le moderne. Deux choses nous retiennent dans cette image. En un sens Freud fait sienne, et en poussant l'hypothèse à l'extrême, l'idée d'une conservation sans perte du passé mais, soulignons-le, il paraît limiter*

1. S. Freud, *Malaise dans la civilisation*, P.U.F., 1972, p. 13.

cette conservation à celle des monuments, temples, palais,
statues, etc. Il se montre donc plus archéologue qu'historien :
la trace, plus que le cours, des événements l'intéresse car
l'événement, pour lui, c'est la trace. Mais surtout, et jus-
tement parce que rien n'est effacé, l'idée de la résurrection
d'un temps est inconcevable, notre mémoire nous rend contem-
porains d'époques fort distantes, notre « être psychique » est
simultanément infans *et* adulte, *grand saurien et grand*
savant, et, quand nous marchons dans Rome, nous ne
pouvons discerner si nous sommes hier, aujourd'hui ou demain
et si l'hier est celui du Forum ou de la papauté. C'est une
Rome surréelle à la Max Ernst que laisse entrevoir la
comparaison du Malaise.

On ne gagnerait rien à vouloir définir strictement la
relation entre psychanalyse et archéologie. Mieux vaut lui
laisser son statut de métaphore improbable. Freud lui-même
oscille dans ses jugements. Tantôt il réduit l'analogie à une
fantaisie, et même à un « frivole amusement ». Tantôt, et
cela dans un de ses tout derniers écrits, il voit dans le
psychanalyste le frère jumeau de l'archéologue : « Son travail
de construction ou, si l'on préfère, de reconstruction présente
une ressemblance profonde avec celui de l'archéologue qui
déterre une demeure détruite et ensevelie ou un monument
du passé. Au fond il lui est identique, à cette seule différence
que l'analyste opère dans de meilleures conditions [1]. *» Ces*
conditions plus favorables étant que l'analyste, lui, a affaire
à des matériaux vivants que ne cesse d'actualiser la répé-
tition dans le transfert et qu'il n'existe jamais, en ce qui
concerne l'objet psychique, de destruction totale. En somme,
l'analyste serait un archéologue heureux.

---

1. « Constructions dans l'analyse » (1937) in *Résultats, idées, pro-*
blèmes, vol. II, P.U.F., 1985

En tout cas, à Pompéi, il *l'est et il ne peut que prendre un plaisir extrême quand l'histoire de la* Gradiva *lui est contée. Mais Pompéi est l'exception. Comme l'écrit Laurence Kahn,* « *Pompéi c'est beaucoup mieux que Troie, peut-être beaucoup mieux que Rome. Point n'est besoin ici de se gratter la tête devant chaque petit reste, en se demandant avec inquiétude à quelle strate il peut appartenir et si la hâte de fouiller n'a pas conduit à la confusion des niveaux archéologiques* [...] *À Pompéi, c'est la ville même qu'on a exhumée. Il n'y a pas lacune au sol* [1]. » *Exhumer la* ville même : *le profond remonte à la surface, le disparu se fait visible, le passé est l'actuel. Quand la* chose même *est présente, la place est libre pour halluciner ! Pour que Norbert, l'archéologue fou, hallucine sa* Gradiva, *pour que Freud hallucine sa psychanalyse en cette archéologie-là, où règne la concordance.*

Des concordances, le texte de Jensen fournit à chaque instant l'occasion d'en trouver. Freud n'en établit pas l'inventaire mais il ne cesse d'en relever et manifestement cela l'enchante. Une fois posée l'analogie, qui anime tout le commentaire freudien, entre le refoulement et l'ensevelissement de Pompéi, cette « *disparition-conservation du passé* » *(infra, p. 193), c'est toute une série d'autres correspondances qui s'imposent et qui viennent heureusement aplanir toute difficulté théorique et pratique : entre le refoulement et le retour du refoulé –* « *le refoulé, lors de son retour, surgit de l'instance refoulante* » *(p. 174), ce qu'illustre à point nommé une gravure de Félicien Rops –, entre l'investigation du délire et son traitement (p. 157), entre la cure d'amour finement conduite par Zoé et la méthode cathartique (p. 239),*

---

1. L. Kahn, « Une ruine en son absence », in *L'écrit du temps,* n° 11, 1986.

entre la vie psychique de l'individu et les stades de déve-
loppement de l'humanité (p. 199), entre le psychanalyste et
l'écrivain. Mais toutes ces concordances resteraient sans
effet, demeureraient théoriques, générales, d'une excessive
simplicité, si elles n'étaient dans le cours même du récit, à
chaque instant, suggérées par mille signes discrets, insistants
et légers comme la démarche de la Gradiva *(et c'est là le*
talent de Jensen : ce n'est pas l'auteur qui insiste, ce sont
les signes, dans leur double entente; Freud, qui les souligne,
est nécessairement plus lourd). À chaque pas, le lecteur en
découvre, sans qu'il ait besoin de recourir à quelque tra-
duction de symboles : tout ici parle de soi-même, le canari
dans sa cage, le chasseur de papillons, la musca domestica,
le lézard qui s'attrape par un nœud coulant, l'archéoptéryx,
l'oiseau moqueur (il y a un délicieux bestiaire dans la
Gradiva*) et même les noms propres. Tout ici est lumineux,*
de cette lumière vaporeuse qui baigne les choses d'un voile
assez souple pour qu'il ne soit pas nécessaire de l'arracher
ou de le déchirer, assez fin pour ne rien recouvrir et pour
aiguiser au contraire l'acuité du regard.

De là, de ce réseau à la fois subtil et transparent de
concordances, émane le charme. Mais ce qui en accentue
l'effet, ce qui garantit la douce prise qu'il exerce sur nous,
tient à un motif plus singulier. Le plaisir des concordances
n'est si vif que parce qu'il vient répondre à une discordance
première, première parce que sexuelle, figurée par la démarche
de la Gradiva, *démarche qui n'est qu'à elle, démarche qui*
est une énigme. Soutenir comme on l'a dit et redit, qu'il
s'agit, dans la fascination qu'exerce sur Norbert la position
érigée du pied, d'un cas de fétichisme semble bien réducteur.
Ou alors il faudrait donner au fétichisme une large exten-
sion, ne pas le limiter à une fixation sur tel ou tel détail
du corps : il faudrait pouvoir parler non de fétichisme du

*pied mais de fétichisme de la jeune fille. Car Gradiva, c'est
la jeune fille (ce qui est sans doute devenu pour nous et
peut-être a toujours été un mythe, une représentation imaginaire). En elle, pour un instant précaire – la jeune fille
vire si vite à la vieille fille, Zoé Bertgang ne l'ignore pas,
d'où sa hâte à conclure –, s'incarne une fragile alliance
des contraires, toute d'harmonie et de tension. Jensen sait
le montrer quand il esquisse le portrait, tant physique que
moral, de son héroïne. Dans le mouvement qui l'anime, se
reconnaît aussi bien « l'aisance légère de la femme qui
marche d'un pas vif et l'air assuré que donne un esprit en
repos », elle plane au-dessus du sol tout en le foulant avec
fermeté ; dans son regard on peut déceler « une réelle aptitude
à bien voir les choses et un paisible repliement sur ses
pensées ». Des indications comme celles-ci, qu'on trouve dès
les premières lignes, ponctuent le récit. Sur un mode mineur,
elles suggèrent, comme peut le faire la répétition de quelques
notes dans une fantaisie musicale* [1]*, une contradiction mais
toujours mobile, jamais figée : le miracle d'une statue qui
bouge... Elle est pour Jensen, dans la séduction, pour Norbert
Hanold, dans l'effroi, la vie même et la jeune fille autre...
« Le charme simple et naturel d'une jeune fille, charme qui
semblait être l'inspiration de la vie elle-même. » Ce sont là
les mots, simples aussi, de Jensen.*

*Inévitablement les psychanalystes, en se saisissant à leur
tour du récit, allaient en proposer d'autres, sans pourtant
que ces mots-là parviennent à rompre tout à fait le charme,
comme si Zoé Bertgang parmi les docteurs gardait, tels les
lézards et les papillons de Pompéi, le pouvoir de leur
échapper.* Girl = phallus : *l'équation symbolique posée par*

---

1. *Ein Phantasiestück* : c'est ainsi que Jensen qualifie dans le sous-titre sa nouvelle, à la manière de Hoffmann ou de Schumann.

*Fenichel et reprise par Lacan est incontestablement, dans
le cas de la Gradiva, pertinente. Elle éclaire toute l'affaire :
les investigations de Norbert, ses craintes et ses émois, le
mystère entretenu et dévoilé de Zoé et, bien sûr, sa démarche.
Serge Viderman, récemment, a su montrer, en suivant le
texte au plus près, comment la Gradiva représentait non
pas « la femme phallique ou châtrée mais bien phallique
et châtrée [1] ».*

*Il est remarquable que Freud, dans son commentaire, ne
se soit pas engagé dans cette voie. Sans doute — le titre
qu'il a donné à son écrit (Délire et rêves) en témoigne —
n'était-ce pas son propos, délibérément limité. Mais d'autres
motifs ont dû intervenir. Que la Gradiva ait pu exercer
un tel attrait sur lui — on a pu parler de « coup de foudre »
— ne tient pas seulement au lieu de la scène ni même à
l'action qui s'y déroule, avec la double identification qu'elle
autorise : avec Zoé, l'amour médecin, et avec Norbert mû
par le désir incoercible d'aller y voir. Des représentations
plus intimes ont joué. Tout amoureux de la Gradiva, tout
fervent de Freud se doit de lire les pages perspicaces que
Wladimir Granoff a consacrées au souvenir écran, au fantasme, de Freud, à la fois dans sa structure et ses ingrédients, que la rencontre avec le récit de Jensen a certainement
réveillé [2].*

*Mais si Freud s'est interdit d'« analyser » la Gradiva,
en revanche il aurait bien voulu analyser Jensen ! La
psychanalyse, écrit-il à l'occasion d'une deuxième édition,
« demande à savoir à partir de quel matériel d'impressions
et de souvenirs l'écrivain a construit son œuvre » (infra,
p. 239). Ayant pris connaissance de deux autres nouvelles*

1. Cf. S. Viderman, *Le céleste et le sublunaire*, P.U.F., 1977, chap. V.
2. Cf. W. Granoff, *La pensée et le féminin*, Éd. de Minuit, 1976.

*de l'auteur, il n'hésite pas : Jensen avait une sœur avec
qui il a connu dans l'enfance une « relation pleine d'intimité »; cette sœur était très certainement morte; on pourrait même supposer qu'elle était affectée d'une malformation,
sans doute d'un pied-bot [1]... Et Freud s'emploie à obtenir
de Jensen confirmation de l'hypothèse.*

*Les lettres de Jensen à Freud que nous publions en
appendice contredisent quelque peu la légende voulant que
Jensen se soit montré réticent face aux questions de son
interlocuteur. La seconde lettre en particulier décrit avec
finesse, et avec modestie, les circonstances qui ont favorisé
la composition du récit. C'est seulement dans la troisième
et dernière lettre que Jensen oppose un non ferme : «* Non,
je n'ai pas eu de sœur. *» Encore se montre-t-il conciliant
puisqu'il confie avoir éprouvé un sentiment amoureux pour
une amie d'enfance morte prématurément. Mais Freud aurait
voulu davantage.*

*Qui fait preuve ici de la plus grande méconnaissance?
Est-ce Jensen quand il répond que «* l'ensemble n'a rien à
voir avec une expérience que j'aurais vécue au sens habituel
du mot *» pour ajouter aussitôt : «* c'est de part en part une
fantaisie; elle s'avance sur une arête pas plus large qu'une
lame de couteau, d'un pas somnambulique. C'est au fond
ce qui se produit dans toute création littéraire [2] *». Mais
ne serait-ce pas plutôt Freud qui se comporte dans la
circonstance plus en détective qu'en analyste quand il entend,
d'une part, retrouver dans les données réelles de l'enfance
la cause première d'une élaboration imaginaire et, d'autre
part, faire attester par l'aveu de l'intéressé que là se cache
bien le noyau de vérité, la seule pierre qui parle sans*

---

1. Cf. in *Minutes de la Société psychanalytique de Vienne* la séance
du 11 décembre 1907.
2. Mes italiques.

*mentir, tout le reste étant déformation, dissimulation, embel-
lissement? Ce n'est pas seulement alors tout ignorer de la
création littéraire* [1], *comme le lui suggère aimablement Jensen, mais aussi bien tout oublier du travail du rêve, du
travail de l'inconscient, c'est-à-dire du trajet des représentations, et par là même du travail de l'interprétation. Plus
retors, Jensen aurait pu d'ailleurs soumettre à son tour son
inquisiteur à la question : à quelles expériences infantiles
remontait donc le plaisir intense que Freud avait pris à
lire cette fantaisie et à s'en rendre maître?*

*

*Jensen? Jones le confond avec un homonyme danois. Quant
à James Strachey, il a des mots très* british *pour le définir
(en une note de deux lignes) :* « A North German play-
wright and novelist, respected but not regarded as of
very great distinction. » *Et il qualifie la nouvelle d'*« anecdote ingénieuse, rien de plus [2] ». *Même condescendance dans
le jugement que porte Octave Mannoni* [3] : « On peut trouver
un certain agrément à la lecture de cette idylle démodée. »
*N'est-ce pas là emboîter le pas à Freud qualifiant, dans
sa* Selbstdarstellung, *la* Gradiva *de Jensen de* « petite
nouvelle sans grande valeur par elle-même [4] »? *Seulement,
cette appréciation sévère, il la porte en 1925, rétrospecti-
vement, en un temps où il ne veut plus rien devoir à Jung.
Peut-être aussi gardait-il quelque rancune à Jensen — Freud
n'oubliait rien — pour ne pas s'être montré un* « analysé »

1. L'article « *Der Dichter und das Phantasieren* » (Le créateur littéraire et la fantaisie) suit de peu (1908) la publication de *Délire et
rêves dans la* Gradiva.
2. Cf. l'*Editor's Note*, vol. IX de la *Standard Edition*.
3. Dans son *Freud*, coll. « Écrivains de toujours », Le Seuil, 1968.
4. Cf. *Sigmund Freud présenté par lui-même*, Gallimard, 1985, p. 111.

plus docile. Mais c'est à mon sens une raison plus forte qui peut justifier la distance prise vis-à-vis du plaisir trouvé à lire et à réécrire à sa manière la Gradiva, *en allant jusqu'à la résumer* [1]. *En vingt ans, Freud a pu mesurer tout l'écart entre Pompéi et Vienne, entre Norbert Hanold et lui; l'idylle consommée entre l'archéologie et la psychanalyse s'est effectivement démodée. La cure n'est plus une cure d'amour : la haine, la violence, la mort l'habitent; la répétition du même est désormais souffrance, blessure irréparable plus que retrouvaille enjouée du vert paradis des amours enfantines. Et le siècle, lui aussi, se revêt de couleurs noires.*

La psychanalyse ne ressemble plus alors, ni dans les traits ni dans l'allure, à une jeune fille. La voici qui se reconnaît, comme si elle se rapprochait sur le tard de sa lointaine ancêtre, dans le visage inquiétant, foncièrement discordant, de la sorcière. Si elle a perdu de son charme, la Gradiva, *elle, a su garder le sien. Les pierres cesseraient-elles de nous parler, elle n'en serait pas moins toujours pour nous celle qui avance, celle qui éveille.*

J.-B. Pontalis

---

1. Sarah Kofman a justement souligné (*Quatre romans analytiques*, éd. Galilée, 1973) comment Freud enfreignait les règles de sa propre méthode en *résumant* non seulement la nouvelle de Jensen mais les rêves de Norbert. Voudrait-il aussi « résumer » l'écrivain dans son enfance et la fantaisie dans la réalité?

Note liminaire

Éditions allemandes :

1907 *Der Wahn und die Träume in W. Jensens « Gradiva »*,
      Leipzig et Vienne, Heller, 81 pages (*Schriften zur ange-
      wandten Seelenkunde*, fasc. 1).
1908 Leipzig et Vienne, Deuticke. Texte inchangé.
1912 *Ibidem, idem.* Texte inchangé mais avec adjonction du
      Nachtrag [*Supplément*], 87 pages.
1924 *Ibidem, idem.* Texte inchangé.
1925 *Gesammelte Schriften*, tome IX.
1941 *Gesammelte Werke*, tome VII.
1969 *Studienausgabe*, tome X.

Aucune de ces éditions ne comporte la nouvelle de
Jensen.

Traduction française :

1931 *Délire et rêves dans la « Gradiva » de Jensen*, traduit de
      l'allemand par Marie Bonaparte, précédé du texte de
      Gradiva traduit par E. Zak et G. Sadoul, Paris, Gal-
      limard, coll. Les Essais, 220 pages.
1976 Même texte, *ibidem, idem*, coll. Idées, 250 pages

Traduction anglaise :

1959 *Delusions and Dreams in Jensen's « Gradiva »*, traduit
de l'allemand par James Strachey, Londres, Hogarth
Press, The Standard Edition of the Complete Psycho-
logical Works of Sigmund Freud, tome IX.

La nouvelle de Jensen, *Gradiva, ein pompejanisches Phantasiestück*, parut pour la première fois en 1903 chez l'éditeur
Carl Reissner, Dresde et Leipzig. Elle connut une seconde
édition en 1913 chez le même éditeur.

Wilhelm Jensen (1837-1911) fut un auteur extrêmement
fécond qui jouit de son vivant d'une certaine réputation en
Allemagne. Né à Heiligenhafen (Schleswig-Holstein) dans une
famille frisonne, il grandit à Kiel et à Lübeck loin de sa famille.
Après avoir entrepris des études de médecine à Iéna et à Breslau
(auj. Wroclaw), il s'oriente vers les lettres. Il passe son diplôme
d'État à Munich en 1860 et travaille ensuite comme journaliste
pour différents journaux allemands. Sa carrière littéraire débute
en 1866 avec la nouvelle *Magister Timotheus*. Il publiera par
la suite plus de cent soixante romans et nouvelles sur des sujets
le plus souvent tirés de l'histoire, ainsi qu'un certain nombre
de drames et de recueils de poèmes. Son œuvre la plus connue
fut *Karin von Schweden* [*Carine de Suède*] (1878) qui connut
un grand nombre de réimpressions.

Les écrits de Jensen tombèrent progressivement dans l'oubli
après la mort de leur auteur. Un petit nombre d'entre eux
furent néanmoins réimprimés jusqu'à la dernière guerre, et
Karin von Schweden même dans les années 1950. Ensuite la
bibliographie allemande ne cite plus son nom jusqu'en 1973,
date à laquelle les éditions S. Fischer rééditèrent *Gradiva*
conjointement avec le texte de Freud.

Wilhelm Jensen présente donc le cas singulier d'un auteur
qui survit par un seul de ses livres, et cela grâce au commentaire
prestigieux dont il a été l'objet.

Aucun ouvrage de Jensen n'a été traduit en français à part *Gradiva*, en 1931. Là aussi, le texte de la nouvelle a été publié conjointement avec le commentaire freudien.

Le récit de Jensen a pour sous-titre en allemand *Ein pompejanisches Phantasiestück*. La *Phantasiestück* (littéralement « pièce de fantaisie ») est une forme musicale qui fut très en vogue dans le romantisme allemand. Schumann notamment en a composé. Le mot apparaît aussi en littérature : il suffit de penser aux *Phantasiestücke in Callots Manier* de E.T.A. Hoffmann. Nous avons donc choisi de traduire le mot par « fantaisie » par fidélité à la lettre du texte, de même que dans la nouvelle et dans le commentaire de Freud *Phantasie* a toujours été traduit par « fantaisie » ou « imagination » et non par « fantasme » qui désigne en psychanalyse une formation imaginaire spécifique plutôt que l'activité imaginative.

Un autre terme de *Gradiva* mérite un bref commentaire. Le mot *Wahn*, que nous traduisons par « délire », revient fréquemment sous la plume de Freud ; il figure même dans le titre de l'essai. Nous avons cependant constaté, à notre surprise, que *Wahn* n'apparaît *pas une seule fois* dans la nouvelle de Jensen. Freud commet donc une erreur, sans doute de bonne foi, quand il écrit : « L'état de Norbert Hanold est maintes fois qualifié de " délire " par l'auteur, et nous non plus nous n'avons pas de raison de rejeter ce terme » (p. 185).

Pour désigner l'état psychique de son héros, Jensen recourt à des mots qui gravitent autour de l'idée d'illusion et de tromperie (*Täuschung, Trugwerk, Schwindel, Vision, Halluzination, Einbildung*) ou de folie (*verrückt, Verrücktheit, Widersinn, widersinnig, vernunftwidrig, törricht, Tollhäusigkeit*). Il parle aussi de *Hirngespinst*, littéralement « tissage mental ». Sa deuxième lettre à Freud, où il fournit de précieuses indications sur la genèse de son récit, montre d'ailleurs que pour lui les égarements du jeune archéologue procèdent au premier chef d'une hallucination due au brûlant soleil de midi.

Dans le « Supplément » qu'il a joint à la seconde édition de son commentaire, Freud donne quelques informations sur le bas-relief antique désormais connu sous le nom de *Gradiva*. Il s'agit d'indications extrêmement sommaires, qui demeurent cependant les seules que possèdent les non-spécialistes. Le bas-relief, origine de tout, de la nouvelle et indirectement du commentaire, a été jusqu'ici particulièrement négligé. Pourtant, là encore grâce à Freud, sa célébrité est devenue extraordinaire. On ne compte plus les photographies et les moulages qui en ont été faits. Nous avons demandé à Alain Pasquier, conservateur en chef du Département des Antiquités grecques et romaines au Musée du Louvre, de porter à la connaissance du public ce qu'on peut savoir aujourd'hui de cette œuvre remarquable. Nous le remercions ici de sa contribution.

Donnons pour terminer cette note de l'édition italienne de *Gradiva*, due à Cesare L. Musatti (éd. Boringhieri, Turin, 1969) : « La description de Pompéi qu'on trouve dans *Gradiva* est dans l'ensemble très exacte, même si on y relève çà et là de légères altérations ou transpositions. L'auteur semble s'être appuyé non seulement sur sa propre mémoire des lieux mais sur un plan de la ville antique. Des trois hôtels que nomme Jensen, les deux de l'*ingresso* existent toujours, mais ont été modernisés. L'Hôtel Suisse a conservé son nom. Le troisième hôtel, le *Sole* ou *Al Sole*, a été détruit au cours de la dernière guerre » (p. 16). L'hôtel où logea Zoé Bertgang Gradiva avec son père a donc disparu.

C. H.

WILHELM JENSEN

Gradiva
fantaisie pompéienne

TRADUIT DE L'ALLEMAND
PAR JEAN BELLEMIN-NOËL

La traduction qu'on va lire est celle qui figure dans le livre de Jean Bellemin-Noël *Gradiva au pied de la lettre* (« Le Fil rouge », P.U.F., 1983).

À l'occasion de sa republication dans notre édition, Jean Bellemin-Noël a bien voulu la relire, y apporter quelques retouches et se plier, en quelques occurrences, à notre souci d'harmonisation terminologique. Qu'il en soit ici remercié.

En visitant l'une des grandes collections d'antiquités de Rome, Norbert Hanold avait découvert un bas-relief qui l'avait tout spécialement attiré, si bien qu'il s'était beaucoup réjoui, une fois revenu en Allemagne, de pouvoir s'en procurer un excellent moulage en plâtre. Il l'avait accroché depuis quelques années à un endroit privilégié du mur de son cabinet de travail, par ailleurs couvert en grande partie de rayons de livres, à la fois sous un angle d'éclairage judicieux et à une place que, fût-ce un court moment, le soleil couchant atteignait chaque soir. C'était, à peu près au tiers de la grandeur nature, le portrait en pied d'un être féminin saisi en train de marcher, encore jeune, déjà sorti de l'enfance mais qui toutefois n'était manifestement pas une femme : plutôt une *virgo* romaine d'une vingtaine d'années environ. Elle ne rappelait en rien les multiples bas-reliefs de Vénus, de Diane ou des autres déesses de l'Olympe, sans représenter pour autant une Psyché ou une Nymphe. Il y avait en elle, soit dit sans mauvaise part, quelque chose de l'humanité de tous les jours, un air presque « quotidien » dans l'apparence physique, comme si, là où de nos jours nous crayonnons une esquisse sur une feuille de papier, l'artiste l'avait en pleine rue prise sur le vif au passage et fixée à toute allure dans une ébauche de terre glaise. Elle paraissait grande et svelte; ses cheveux en légères ondulations étaient quasi entièrement recouverts d'un fichu à plis; le visage un peu allongé ne comportait rien de propre à éblouir, mais il était indéniablement fort éloigné de chercher à produire un tel effet; dans la finesse des traits s'exprimait une sereine indifférence à l'égard de ce qui se passait tout autour, l'œil dirigé tranquillement droit devant lui révélait en même temps une réelle aptitude à bien voir les choses et un paisible repliement sur ses pensées. Aussi n'était-ce pas par la beauté plastique des formes que la jeune femme séduisait : elle possédait quelque chose qu'on ne rencontre pas souvent dans les statues antiques, une grâce naturelle et simple de jeune fille, d'où venait cette impression qu'elle débordait de vie. Cela devait provenir surtout du mouvement dans lequel elle était représentée. La tête légèrement penchée en avant, elle tenait un peu remontée de la main gauche la robe dont les extraordinaires petits plis ruisselaient sur elle depuis la nuque jusqu'aux chevilles, en sorte qu'on apercevait ses pieds chaussés de sandales. Le gauche était déjà avancé et le droit, se disposant à le suivre, ne touchait plus guère le sol que de la pointe des orteils tandis que la plante et le talon se dressaient presque à la verticale. Ce mouvement suscitait une double impression : l'aisance légère de la femme qui marche d'un pas vif, et parallèlement l'air assuré que donne un esprit en repos. Sa grâce particulière, elle la tirait de cette façon de planer au-dessus du sol tout en le foulant avec fermeté.

Où était-elle allée ainsi, et où allait-elle? À dire vrai Norbert Hanold, docteur en archéologie et professeur

d'université, ne trouvait à ce bas-relief, du point de vue
de la discipline qu'il enseignait, rien de particulièrement
remarquable. Ce n'était pas un spécimen de grande
qualité des arts plastiques anciens ; au fond, c'était plutôt
une œuvre de genre à la romaine, et il ne s'expliquait
pas pourquoi elle avait retenu son attention ; il ne savait
que ceci : il avait été attiré par quelque chose et l'effet
de ce premier regard était resté inchangé depuis lors.
Pour donner un nom à l'effigie, il l'avait appelée dans
son for intérieur « Gradiva », « celle qui marche en avant » ;
en réalité, c'était là un surnom que les poètes anciens
réservaient exclusivement à Mars Gradivus, le dieu de
la guerre s'élançant au combat, mais il semblait à Norbert
caractériser au mieux le maintien et le mouvement de
la jeune fille. Ou plutôt, comme nous dirions aujour-
d'hui, de la jeune dame, car assurément elle n'appartenait
pas à la classe inférieure, elle devait être la fille d'un
nobilis, en tout cas d'un homme *honesto loco ortus.* Peut-
être – son apparence extérieure, du moins, incitait à
l'imaginer spontanément –, peut-être est-ce qu'elle faisait
partie de la famille d'un édile patricien, qui exerçait ses
fonctions au service de Cérès, et qu'elle se trouvait, pour
remplir une tâche quelconque, en route vers le temple
de cette déesse.

En même temps, il y avait quelque chose de gênant
pour le jeune archéologue dans le fait qu'elle avait pu
résider au sein de la grande ville, de la bruyante capitale
qu'avait été Rome. Son être, son attitude sereine et
tranquille cadraient moins, selon lui, avec cette agitation
multiforme où personne ne fait attention aux autres,
qu'avec une localité plus petite où chacun pouvait la
connaître, s'arrêter pour la suivre de l'œil et dire à son
voisin : « C'est Gradiva » – à cet endroit Norbert ne

pouvait mettre son véritable nom de famille — « la fille de...; elle a la plus belle démarche de toutes les filles de notre cité ».

Comme s'il l'avait entendu de sa propre oreille, ce discours s'était solidement implanté dans son esprit et y avait transformé en quasi-certitude une autre supposition. Au cours de son voyage en Italie, il était resté plusieurs semaines à Pompéi pour en étudier les ruines, et de retour en Allemagne il lui était subitement venu à l'esprit un beau jour que la femme représentée sur le bas-relief marchait en fait quelque part là-bas, sur les curieuses pierres plates révélées par les fouilles qui en temps de pluie permettaient d'aller en marchant au sec d'un côté de la rue à l'autre, tout en laissant un passage libre aux roues des véhicules. C'est ainsi qu'il la voyait, alors qu'un de ses pieds avait franchi le creux entre deux pierres et que l'autre se proposait de le suivre; et pendant qu'il l'observait en train de marcher, tout ce qui l'avait entourée de près ou de loin se reconstruisait comme matériellement devant son imagination. Celle-ci recréait en lui, aidée par la connaissance qu'il avait du monde antique, l'aspect de la rue s'allongeant à perte de vue, avec ses deux rangées de maisons entremêlées çà et là de maints temples et portiques. Le commerce et l'artisanat tout autour accaparaient aussi l'attention, *tabernae, officinae, cauponae,* magasins, ateliers, débits de boissons; des boulangers avaient mis leurs pains à l'étal, les cruches d'argile encastrées dans les comptoirs de marbre proposaient tout le nécessaire pour le ménage et la cuisine; au coin d'une rue était assise une femme qui offrait dans ses corbeilles des légumes et des fruits : d'une demi-douzaine de grosses noix elle avait enlevé la moitié de la coque afin de montrer, pour inciter à l'achat, combien les cerneaux à l'intérieur étaient frais et sans tache. Partout où le regard se tournait il tombait sur des couleurs vives, des façades aux peintures bigarrées, des colonnes aux chapiteaux rouges et jaunes; tout étincelait et resplendissait en réfléchissant la lumière aveuglante de midi. Plus loin en descendant s'érigeait sur un socle élevé une statue d'un blanc éclatant, puis par-dessus le tout se dressait dans le lointain, un peu dissimulé par le tremblement irrégulier de l'air surchauffé, le mont Vésuve qui n'avait pas encore comme aujourd'hui la forme d'un cône ni ce brun de terre aride, mais qui était couvert, jusqu'à la limite des derniers escarpements crevassés, d'une végétation d'un vert miroitant. Dans la rue il y avait très peu de mouvement, quelques personnes allaient et venaient en profitant au mieux des zones d'ombre : la fournaise de ce midi de plein été paralysait l'agitation affairée des autres heures. Au milieu de tout cela marchait Gradiva, s'éloignant sur les dalles piétonnières, d'où elle faisait s'enfuir un lézard moiré d'or et de vert.

C'est ainsi que ces choses revivaient devant les yeux de Norbert Hanold; seulement, à force de contempler chaque jour la tête de la belle, une nouvelle présomption s'était installée progressivement en lui. Plus il la regardait, plus les traits de son visage lui semblaient présenter une découpe grecque et non romaine, ni même latine, si bien que peu à peu son ascendance hellénique acquit pour lui valeur de certitude. Cette idée trouvait une suffisante justification dans le fait que la Grèce avait anciennement colonisé toute l'Italie du Sud; et à partir de là d'agréables et émouvantes images se levaient, s'échafaudaient en lui. Car dans ce cas, la jeune *domina* avait peut-être parlé grec dans la maison de ses parents, elle avait dû grandir nourrie de culture grecque. En y regardant de plus près, l'expression même du visage apportait confirmation : incontestablement, sous cette absence de prétention, se cachait une sorte de finesse d'esprit, de subtilité.

Ces conjectures ou découvertes ne pouvaient tout de même pas justifier un réel intérêt archéologique pour cette petite sculpture, et Norbert était conscient qu'il y avait autre chose, et sans doute en rapport avec sa spécialité, qui le ramenait à s'en occuper avec tant d'insistance. Il s'agissait pour lui d'adopter une attitude critique, afin de déterminer si l'artiste, dans la démarche de Gradiva, avait rendu le pas de manière conforme à la réalité. Il ne parvenait pas à prendre clairement parti là-dessus, et sa riche collection de reproductions d'œuvres plastiques anciennes ne lui était pas non plus sur ce point d'une grande utilité. Il lui semblait que la position quasi verticale du pied droit était exagérée; à tous les essais qu'il avait lui-même effectués, le mouvement du pied qui restait en arrière n'adoptait pas, et de loin, une posture aussi abrupte; en termes mathématiques, son pied à lui, durant le fugitif instant où il demeurait immobile, ne formait avec le sol que la moitié d'un angle droit, et c'est bien ainsi que manifestement cela se passait dans la mécanique naturelle de la marche, parce que c'est le plus fonctionnel. Il profita une fois de la présence d'un jeune anatomiste de ses amis pour lui poser la question, mais celui-ci ne fut pas davantage en mesure de fournir une assurance décisive car il n'avait jamais fait de recherches dans cette direction. Cet ami fit l'expérience sur lui-même et aboutit à une conclusion tout à fait en accord avec la sienne propre; mais il ne sut lui dire si par hasard la façon de marcher des femmes se distinguait de celle des hommes, et le problème n'obtint pas de solution.

Néanmoins, leur discussion n'avait pas été infructueuse : elle avait suggéré à Norbert Hanold quelque chose qui ne lui était pas encore venu à l'esprit, l'idée d'éclaircir l'affaire en se lançant lui-même dans des observations d'après nature. Cela l'obligea, bien sûr, à se comporter d'une façon qui lui était totalement étrangère : le sexe féminin, jusque-là, n'avait été pour lui qu'un concept tiré du marbre ou du bronze, et il n'avait jamais accordé la moindre attention à ses représentantes contemporaines. Mais son besoin de savoir le jetait dans une telle ferveur scientifique qu'il se consacra tout entier à cette recherche particulière dont il avait reconnu la nécessité. Ce qui n'allait évidemment pas sans de multiples difficultés dans une grande ville où il y a foule : la seule chance de réussir était de chercher dans les rues peu fréquentées. Et même là, le plus souvent, les robes longues rendaient la manière de marcher difficile à observer; d'autant que les domestiques, les seules à porter des jupes courtes, étaient sauf exception rarissime pourvues de grosses chaussures, en sorte qu'on ne pouvait guère les faire entrer en ligne de compte pour résoudre le problème. Malgré tout, il poursuivit avec persévérance son enquête, par temps sec comme par temps de pluie car il avait constaté que les intempéries promettaient d'aboutir plus rapidement à un résultat, du fait qu'elles incitaient les dames à relever le bas de leur robe. Mais il dut en déconcerter beaucoup au fil de son enquête, avec ses regards fixés sur leurs pieds; bon nombre de celles qu'il observait montraient par une expression contrariée qu'elles tenaient sa manière d'agir pour une audace ou une insolence; une fois ou deux, comme c'était un jeune homme d'aspect fort attachant, il y eut à l'inverse des yeux pour exprimer un brin d'encouragement, mais il ne s'en aperçut pas plus dans ce cas-là que dans l'autre. Petit à petit en revanche, à force de s'acharner, il rassembla malgré tout nombre d'observations qui apprirent à son regard à noter bien des différences entre les démarches. Certaines femmes marchaient lentement, d'autres vite, celles-ci avec lourdeur, celles-là avec légèreté. Beaucoup faisaient glisser la plante de leurs pieds au ras du sol, très peu la levaient à l'oblique en lui donnant une position un peu gracieuse. Mais pas une seule ne lui mit sous les yeux la façon de marcher de Gradiva : cela le remplit de satisfaction de ne s'être pas trompé dans son jugement d'archéologue sur le bas-relief. D'un autre côté, ses observations faisaient naître en lui une déception, car il trouvait belle la position verticale de ce pied en suspens, et il regrettait que, créée seulement par la fantaisie ou le caprice du sculpteur, elle ne correspondît pas à la réalité de la vie.

Peu de temps après que ses enquêtes podologiques l'eurent amené à cette façon de voir les choses, il fit une nuit un rêve effrayant, et en fut angoissé. Il se trouvait dans l'antique Pompéi, précisément en ce 24 août de l'an 79 où se produisit la terrible éruption du Vésuve. Le ciel tenait enveloppée dans un manteau de fumée cette ville vouée à l'anéantissement; ce n'est qu'à travers des déchirures par-ci par-là que les masses de flammes qui s'élevaient du cratère laissaient apercevoir des formes baignant dans une lumière rouge sang; tous les habitants, isolés ou en groupes confus, perdant la tête et la raison sous l'effet d'une terreur inouïe, cherchaient leur salut dans la fuite. Sur Norbert aussi s'abattaient les lapilli et la pluie de cendres, mais, comme il arrive par miracle dans les rêves, sans le blesser; de même, il sentait dans l'air l'odeur des mortelles vapeurs de soufre sans en être gêné pour respirer. Il se tenait en bordure du forum près du temple de Jupiter quand il aperçut soudain sa Gradiva devant lui à une faible distance : jusque-là l'idée de sa présence en ces lieux ne l'avait pas effleuré, mais à cet instant il réalisa d'un seul coup, comme quelque chose de tout à fait naturel, que puisqu'elle était pompéienne, elle vivait dans sa ville natale et, sans qu'il s'en fût douté, à la même époque que lui. Au premier regard il la reconnut, son effigie de pierre la représentait à la perfection jusque dans le détail, y compris le mouvement de sa démarche que spontanément il qualifiait au fond de lui-même de « *lente festinans* ». Et la voilà qui marchait, paisible et alerte à la fois, sur le dallage du forum en direction du temple d'Apollon, avec cette sereine indifférence pour le monde extérieur qui la caractérisait. Entièrement absorbée dans ses pensées, elle semblait ne rien remarquer de l'infortune qui s'abattait sur la ville; d'ailleurs, lui aussi oubliait l'effroyable événement, du moins pour quelques instants, et, sentant bien que la vivante réalité de Gradiva retournerait bientôt à son néant, il cherchait à la graver en lui avec le plus d'exactitude possible. Là-dessus, il fut frappé par l'idée soudaine que si elle ne se sauvait pas rapidement, elle allait tomber victime de la catastrophe générale : une violente terreur arracha de sa bouche un cri d'avertissement. Elle l'entendit, car sa tête se tourna dans sa direction, si bien que durant un fugitif instant il put voir de face la totalité de son visage; elle eut l'air de n'avoir rien compris à cet appel et sans lui prêter attention elle poursuivit son chemin comme avant. Mais son visage perdit alors toute couleur et blêmit comme s'il se changeait en marbre blanc : elle marcha encore jusqu'au portique du temple et une fois là s'assit entre deux colonnes sur une marche des escaliers, et y posa lentement la tête. Les lapilli se mirent à tomber en masse, formant un rideau si dense qu'il était totalement impossible de voir au travers; il se précipita vers elle à toute allure, réussit à trouver un chemin jusqu'à l'endroit où elle avait disparu à ses yeux : elle était là couchée, sur la large marche, protégée par l'avancée du toit, comme si elle s'était étendue pour dormir, mais elle ne respirait plus, manifestement suffoquée par les vapeurs de soufre. La lueur rouge tombant du Vésuve venait trembloter sur sa face, qui avec ses paupières fermées ressemblait tout à fait à celle d'une belle statue de pierre : aucune angoisse, aucune grimace de douleur n'altérait ses traits, qui ne reflétaient qu'une indifférence miraculeusement résignée à l'inéluctable. Mais ils devinrent vite indistincts, car le vent poussait à présent sur cet endroit la pluie de cendres, qui d'abord s'étendit sur elle comme un voile de crêpe gris, puis éteignit complètement l'éclat de son visage et bientôt ensevelit toute sa personne sous une couverture régulière comme une chute de neige en hiver dans un pays nordique. Si les colonnes du temple d'Apollon émergeaient encore, ce n'était plus guère que de moitié car autour d'elles aussi la couche de cendres s'amoncelait rapidement.

Lorsque Norbert Hanold s'éveilla, il avait encore dans l'oreille les cris confus des habitants de Pompéi cherchant à se sauver et le sourd grondement des coups de ressac de la mer démontée. Puis il reprit conscience : le soleil jetait sur son lit un bandeau de lumière dorée, c'était un matin d'avril et, de l'extérieur, les bruits variés de la grand-ville, cris de marchands, roulements de voitures, montaient envahir son étage. Pourtant la vision du rêve

avec tous ses détails se tenait encore parfaitement distincte
devant ses yeux ouverts; et il fallut un certain temps
avant qu'il puisse se délivrer de cet état intermédiaire
où ses sens étaient emprisonnés : ce n'est pas réellement
qu'il avait durant la nuit assisté dans la baie de Naples
à la catastrophe d'il y a bientôt deux mille ans. Il ne
s'en libéra vraiment qu'au moment où il s'habilla, sans
pour autant réussir, en mobilisant son esprit critique à
propos de cette vision, à éliminer l'idée que Gradiva
avait vécu à Pompéi et qu'elle y avait été comme les
autres ensevelie en 79. Bien plus, sa première supposition
s'était affermie jusqu'à devenir certitude, et même il en
arrivait désormais à conclure à la validité de la seconde.
Il considérait avec un sentiment de mélancolie, dans son
appartement, le vieux bas-relief qui avait pris pour lui
une signification nouvelle. Dans une certaine mesure,
c'était un monument funéraire, par lequel l'artiste avait
conservé pour la postérité l'image de celle qui avait dû
quitter si tôt la vie. Mais lorsqu'on la regardait avec un
esprit lucide, l'impression produite par tout son être ne
laissait aucun doute : elle s'était réellement étendue pour
mourir, au cours de cette nuit fatale, avec la même
sérénité qu'elle avait montrée dans le rêve. Un vieux
proverbe dit que les favoris des dieux, ce sont ceux qu'ils
arrachent à la terre dans l'éclat de leur jeunesse.

Norbert, avant même de s'être serré le cou dans son
faux col, en robe de chambre légère, les pieds dans ses
pantoufles, était accoudé à la fenêtre ouverte et regardait
dehors. Là, enfin parvenu dans les pays du Nord, le
printemps ne se manifestait dans les immenses entrailles
de pierre de la ville que par le bleu du ciel et la douceur
de l'air, mais il apportait aux sens un pressentiment
troublant, il éveillait le désir d'aller chercher dans les

lointains ensoleillés le vert des feuilles, les senteurs de
la nature, le chant des oiseaux; quelque chose en arrivait
jusqu'ici, comme un souffle, les femmes du marché dans
la rue avaient parsemé leurs corbeilles de fleurs des
champs, et à une fenêtre grande ouverte un canari en
cage claironnait ses couplets. Le pauvre petit faisait de
la peine à Norbert qui, sous la clarté des notes, malgré
l'allégresse du ton, percevait la nostalgie de la liberté et
des ailleurs.

Mais les pensées du jeune archéologue ne s'attardèrent
que fugitivement là-dessus, car une autre préoccupation
venait de s'imposer à lui. Il venait seulement de s'apercevoir que dans son rêve il n'avait pas remarqué si la
Gradiva vivante possédait également la démarche que
représentait l'image sculptée et qui en tout cas n'était
pas la démarche des femmes d'aujourd'hui. C'était une
chose à noter, puisque son intérêt scientifique pour le
bas-relief reposait là-dessus; d'un autre côté, cela s'expliquait sans mal par l'affolement dans lequel l'avait
plongé la manière dont elle avait mis sa propre vie en
danger. Il chercha, mais sans y réussir, à se remettre en
mémoire sa façon de marcher.

C'est alors qu'une impression soudaine le traversa, qui
lui causa un choc; sur le moment il fut incapable de
dire d'où elle venait. Puis il comprit : en bas dans la
rue, lui tournant le dos, marchait une femme, à coup
sûr d'après sa silhouette et ses vêtements une jeune dame,
qui s'éloignait d'un pas léger et élastique. Elle retenait
de la main gauche sa robe dont le bas dégageait les
chevilles, et aux yeux de Norbert s'imposa l'impression
que, dans le mouvement de sa marche, la plante du
pied racé qui se trouvait en arrière, durant l'instant où
il reposait sur la pointe des orteils, se dressait par rapport

au sol à la verticale. C'est ce qu'il lui sembla, le fait qu'il regardait de loin et d'en haut ne lui permettant pas de savoir avec certitude.

D'un seul coup, Norbert Hanold se retrouva au milieu de la rue sans bien savoir comment il y était arrivé. Il avait dévalé l'escalier à la vitesse de l'éclair, comme un gamin qui se laisse glisser sur la rampe, et là en bas il courait entre les voitures, les carrioles et les passants. Ces derniers braquaient sur lui des yeux effarés, et de beaucoup de lèvres s'échappaient des exclamations à moitié moqueuses. Qu'elles lui fussent adressées ne lui vint même pas à l'esprit : son regard explorait la rue pour retrouver la jeune dame et il crut même distinguer son vêtement à quelques dizaines de pas devant lui. Du moins le haut du corps ; pour la moitié inférieure et les pieds, il n'en put rien apercevoir, car ils étaient cachés par la circulation des gens qui se pressaient sur le trottoir. Tout à coup, une vieille marchande de légumes bien en chair l'attrapa par la manche, le retint de la main et lui lança, à demi ricanant : « Dites donc, le petit chéri à sa maman, cette nuit vous avez dû ramasser un petit peu trop de liquide dans le coco, que vous voilà en train de chercher vot'lit en pleine rue ? Vous feriez mieux de rentrer tout de suite chez vous et de vous regarder dans la glace ! » Un éclat de rire général lui confirma qu'il n'était pas dans une tenue adéquate pour se présenter en public ; il réalisa alors qu'il était parti en courant de sa chambre sans réfléchir. Il en resta tout interdit, car il tenait à la bienséance dans l'apparence extérieure, et, abandonnant son projet, il retourna en vitesse à son appartement. De toute évidence, il sortait de ce rêve avec des sens encore un peu brouillés, qui lui jouaient des tours et l'abusaient, car il avait eu à la fin l'impression

qu'en entendant les rires et les quolibets la jeune dame
avait un instant tourné la tête, et il avait cru voir un
visage qui ne lui était pas inconnu : c'était bien celui de
Gradiva qui le regardait depuis un autre espace.

Le professeur Norbert Hanold se trouvait dans
l'agréable situation d'être, grâce à des moyens d'existence
importants, maître absolu de ses faits et gestes et, lorsque
se faisait jour en lui quelque fantaisie, de n'avoir à la
soumettre à l'appréciation d'aucune instance plus haute
que son propre discernement. En cela il différait à son
avantage du canari qui avait juste le droit de claironner
bien haut sans aucun résultat son désir inné de quitter
sa cage pour les lointains pleins de soleil; et pourtant le
jeune archéologue possédait par ailleurs un certain nombre
de points communs avec l'oiseau. Il n'était pas venu au
monde, il n'avait pas grandi dans la liberté de la nature,
mais à dire vrai dès sa naissance il s'était trouvé bouclé
derrière les barreaux d'une grille, celle dont l'avaient
entouré la tradition familiale, une certaine éducation et
une préparation psychologique. Depuis sa plus tendre
enfance, il n'y avait jamais eu le moindre doute dans le
cercle familial sur ceci : en tant que fils unique d'un
professeur d'université spécialiste de l'Antiquité, il était
appelé à exercer plus tard la même activité pour maintenir l'éclat du nom paternel, voire l'augmenter si possible; et prendre la succession dans ce métier lui était
dès le début apparu pour l'organisation de son avenir
comme un devoir qui allait de soi. Il y était resté attaché
avec fidélité, même quand il s'était retrouvé totalement
seul après la disparition prématurée de ses parents. Il
avait accompli l'obligatoire voyage en Italie qui concluait

un examen de culture classique brillamment réussi, et à cette occasion il avait contemplé les originaux d'une masse de chefs-d'œuvre anciens dont jusque-là il n'avait pu connaître que les reproductions. Rien de plus enrichissant pour sa culture n'était disponible ailleurs que dans les collections de Rome, Florence et Naples, et il devait se reconnaître le mérite d'avoir utilisé au mieux le temps de son séjour là-bas pour enrichir ses connaissances; il était revenu chez lui pleinement satisfait à l'idée d'approfondir sa compétence avec tout ce nouvel acquis. Qu'en dehors de ces objets venus d'un lointain passé il pût exister aussi un présent autour de lui, voilà ce que son esprit avait le plus grand mal à soupçonner. De son point de vue, le marbre et le bronze n'étaient pas des matières mortes, c'était plutôt l'unique réalité vivante, c'était là que s'exprimaient réellement l'idéal et la valeur de l'existence humaine. Ainsi se trouvait-il installé entre ses murs, ses livres et ses reproductions d'œuvres d'art, sans avoir besoin d'aucune autre fréquentation, évitant au maximum, comme vaine perte de temps, de voir des gens, se résignant par-ci par-là, très à contrecœur, à l'inéluctable fléau d'aller en société lorsque les vieilles obligations transmises par la famille le contraignaient à faire une visite. Mais tout le monde savait qu'il participait à ces sortes de réunions sans yeux et sans oreilles pour son entourage, qu'il avait toujours un prétexte pour prendre congé aussitôt que possible après la fin du déjeuner ou du dîner, et que dans la rue il ne saluait jamais aucun de ceux avec qui il s'était trouvé assis à table. Le résultat, c'est qu'il n'était pas regardé d'un très bon œil, surtout par les jeunes dames; car même s'il arrivait qu'il eût exceptionnellement échangé quelques mots avec l'une d'entre elles, il pouvait la

rencontrer sans la saluer, la regardant comme s'il ne
l'avait jamais vue, comme si elle avait une tête parfaitement inconnue.

Il est bien possible que l'archéologie soit en elle-même
une discipline assez bizarre ou que son association avec
la personne de Norbert Hanold ait réalisé un curieux
mélange; quoi qu'il en soit, elle était loin d'exercer sur
les autres une fascination considérable et elle ne contri-
buait que bien peu à le faire jouir de la vie, au sens où
la jeunesse a l'habitude de s'en soucier. Mais, peut-être
dans une intention bienveillante, la nature lui avait en
supplément mis dans le sang une sorte de compensation
qui n'avait rien à voir avec la science, et dont il ne savait
même pas qu'il était pourvu : une imagination extraordinairement vive, qui se mettait en valeur chez lui
non seulement dans des rêves, mais souvent aussi à l'état
de veille et qui, au fond, ne lui rendait pas l'esprit
spécialement propre à effectuer des recherches selon une
méthode objective et rigoureuse. Et de ce don à son tour
provenait une autre ressemblance entre le canari et lui.
Celui-là était né en captivité, n'avait rien connu d'autre
que la cage qui l'emprisonnait étroitement, mais il y
avait cependant en lui le sentiment qu'il lui manquait
quelque chose, et il se servait de son gosier pour exprimer
son désir de cette chose inconnue. C'est ainsi que Norbert
Hanold le comprenait; voilà pourquoi, une fois rentré
dans sa chambre et de nouveau penché à la fenêtre, il
se remit à le plaindre et fut ce jour-là en proie à
l'impression qu'il lui manquait aussi quelque chose, dont
il n'arrivait pas à dire ce que c'était. Une longue réflexion
là-dessus ne lui apporta rien de plus. Du fait de la
douceur de l'air printanier, des rayons de soleil, des
souffles parfumés qui venaient des lointains, il sentait

naître en lui un état d'âme confus, qui l'amena à établir ce parallèle : lui aussi était bel et bien dans une cage, derrière une grille de barreaux. Mais au même moment, il fut envahi par la pensée apaisante que sa position était infiniment plus avantageuse que celle du canari, car il possédait des ailes que rien n'empêcherait de l'emporter, si le cœur lui en disait, vers le libre espace.

C'était déjà un point d'acquis que de l'imaginer; à partir de là, on pouvait aller plus loin, en y réfléchissant bien. Norbert se livra un bref instant à cette activité, mais il n'y eut pas besoin de longtemps pour que s'installe en lui le projet d'un voyage de printemps. Projet qu'il eut le temps de réaliser le jour même : il prépara une petite valise, et au début de la soirée il jetait non sans regret un ultime regard d'adieu à sa Gradiva qui, inondée par les derniers rayons du soleil, paraissait fouler d'un pas plus alerte que jamais les dalles invisibles sous ses pieds, puis il prit le rapide de nuit en direction du Midi. Bien que l'impulsion à faire un voyage lui fût venue d'un seul coup, sans qu'il pût en préciser l'origine secrète, à y mieux réfléchir il parvint à la conclusion que, bien entendu, il avait toutes chances d'en tirer profit au point de vue scientifique. Il lui était revenu qu'il avait négligé de vérifier un certain nombre de questions importantes pour l'archéologie à propos de plusieurs statues de Rome, et c'est là qu'il se rendait, sans s'arrêter en chemin, en une journée et demie de train.

Trop peu de gens font par eux-mêmes l'expérience de ce qu'il y a de beau à profiter du printemps pour passer des pays allemands en Italie lorsqu'on est jeune, riche et indépendant, car ceux-là mêmes qui sont pourvus de ces trois avantages ne sont pas toujours accessibles à un tel sentiment de la beauté. Surtout quand – et c'est hélas la majorité – ils se trouvent voyager à deux dans les jours et les semaines qui suivent leur mariage : ils ne laissent rien défiler devant leurs yeux sans un ravissement extraordinaire, exprimé à grand renfort de superlatifs, mais finalement ne rapportent chez eux comme butin que ce qu'ils auraient aussi bien pu connaître en restant au logis, mêmes découvertes, mêmes sensations, mêmes jouissances. En sens contraire des oiseaux migrateurs, des couples de ce genre essaiment chaque printemps par-dessus les cols des Alpes. Pendant tout son voyage en train, Norbert Hanold fut enveloppé de battements d'ailes et de roucoulements comme dans un pigeonnier roulant, et pour la première fois de sa vie, il se trouva par le jeu des circonstances dans l'obligation de voir et d'entendre de plus près les gens autour de lui, sans dérobade possible. Ils étaient tous, d'après leur langue, des compatriotes allemands, mais posséder la même nationalité qu'eux n'éveilla pas en lui la moindre fierté; il éprouva plutôt un sentiment à peu près contraire, celui d'avoir eu le bon sens jusque-là de ne s'occuper que le moins possible des spécimens vivants de l'*homo sapiens,* selon la classification de Linné. Principalement en ce qui concernait la moitié femelle de l'espèce; pour la première fois il voyait dans son environnement immédiat des représentants de cette espèce s'associer sous l'effet de l'instinct d'accouplement, sans parvenir à concevoir ce qui pouvait bien les y avoir l'un et l'autre incités. Pourquoi les femmes s'étaient choisi ces hommes-là lui demeurait incompréhensible, mais encore plus énigmatique restait la raison pour laquelle le choix des hommes était tombé sur ces femmes-là. Chaque fois qu'il levait la tête, immanquablement ses yeux découvraient le visage d'une d'entre elles, et parmi celles qu'il rencontra il n'y en eut pas une seule pour attirer son regard à cause d'une belle apparence extérieure ou parce qu'elle révélait à l'intérieur une richesse de pensée ou de sentiment. Sans aucun doute il devait lui manquer une échelle de référence à laquelle il pût les rapporter : il n'y avait vraiment pas moyen de mettre en comparaison le sexe féminin contemporain avec la sublime beauté des œuvres d'art antiques; toutefois, il ressentait obscurément l'impression qu'il n'était pas responsable de l'injustice du procédé et que réellement quelque chose faisait défaut à toutes ces physionomies, quelque chose qui aurait dû être présent même dans la vie de tous les jours. Il se prit à réfléchir ainsi des heures durant à l'étrange comportement des humains, et arriva à la conclusion que, parmi toutes leurs folies, c'était certainement le mariage, en tant que la plus grande et la plus inconcevable, qui détenait la première place, et que leurs insensés voyages de noces en Italie remportaient en quelque sorte la palme de la sottise.

Puis le canari qu'il avait abandonné à sa captivité lui revint une fois de plus à la mémoire, car il se trouvait là aussi dans une cage, parqué dans le cercle de ces visages de jeunes mariés aussi pleins de contentement que d'inconsistance et d'inexistence, sur lesquels il fallait bien que son regard passe de temps en temps pour aller vagabonder de l'autre côté de la fenêtre. Peut-être était-ce là l'explication du fait que les choses qui défilaient devant ses yeux à l'extérieur suscitaient en lui d'autres impressions que lorsqu'il les avait vues quelques années auparavant. Le feuillage des oliviers flamboyait plus fort

avec ses reflets d'argent, les cyprès et les pins qui çà et
là se dressaient solitaires vers le ciel, se dessinaient avec
des profils plus singuliers et plus beaux, il trouvait plus
de charme aux villages répandus à l'horizon sur les
éminences montagneuses, comme si chacun d'eux était
un individu avec sa personnalité inscrite sur le visage,
et le lac Trasimène lui apparut d'un bleu tendre comme
il n'en avait jamais vu à aucune étendue d'eau. Il était
ému de penser qu'une nature qui lui restait étrangère
entourait la voie ferrée à droite et à gauche : on aurait
dit qu'auparavant il l'avait traversée dans une perpétuelle
lumière de crépuscule ou dans la grisaille de la pluie et
que cette fois il la découvrait dans la plénitude de ses
couleurs dorées de soleil. À deux ou trois reprises, il se
surprit à souhaiter quelque chose dont il n'avait jamais
eu l'idée de toute sa vie : descendre du train et marcher
à pied pour se frayer un chemin vers tel ou tel endroit
qui aurait l'air de receler quelque particularité, quelque
mystère. Mais il ne se laissa pas détourner par des caprices
si contraires au bon sens, alors que le *direttissimo* l'emportait tout droit à Rome, et là, avant même d'arriver
en gare, il se sentit accueilli par le monde antique en
apercevant les ruines du Temple de *Minerva Medica*.
Une fois rendu à la liberté au sortir de sa cage remplie
d'*inséparables,* il trouva tout de suite à se loger dans un
hôtel qu'il connaissait, avec l'intention à partir de là de
chercher sans se presser un appartement à louer répondant
à ses vœux.

Il n'en trouva point au cours de sa première journée,
si bien que le soir il revint une seconde fois à son *albergo*
et, passablement fatigué par l'air d'Italie auquel il n'était
pas accoutumé, par l'intensité du soleil, par de nombreux
déplacements dans le bruit de la rue, il se prépara à

prendre du repos. Peu après, sa conscience commença à s'embrumer et il était en train de s'assoupir quand il fut réveillé : seule une porte dissimulée derrière une armoire séparait sa chambre de celle qui se trouvait à côté et dans celle-ci venaient de pénétrer deux personnes qui en avaient pris possession le matin. À en juger par leurs voix qui traversaient la mince paroi, une voix d'homme et une voix de femme, ils appartenaient indéniablement à la classe des oiseaux de passage printaniers venus d'Allemagne avec lesquels il avait fait le voyage la veille depuis Florence. Leur humeur témoignait sans ambages que la cuisine de l'hôtel était d'excellente tenue, et c'est à la haute qualité d'un vin des *castelli romani* qu'il fallait rendre grâce s'ils échangeaient leurs pensées et impressions, avec l'accent des Allemands du Nord, d'une voix si forte qu'on les entendait distinctement de l'autre côté du mur : « – Auguste, mon amour! – Grete, ma douceur! – Nous sommes de nouveau l'un à l'autre! – Oui, nous revoici enfin seuls! – Est-ce qu'on a encore des choses à voir demain? – En prenant le petit déjeuner on regardera dans le Baedeker ce qui est encore indispensable à visiter. – Auguste, mon amour, tu me plais bien mieux que l'Apollon du Belvédère. – Je n'ai pas pu m'empêcher de penser plusieurs fois, Grete, ma douceur, que tu es bien plus belle que la Vénus Capitoline. – Est-ce que la montagne qui crache le feu où il va falloir monter se trouve près d'ici? – Non, je crois qu'il faudra encore faire deux ou trois heures de train. – Et si elle se mettait d'un seul coup à entrer en éruption juste au moment où on arrivait en plein milieu, qu'est-ce que tu ferais? – Ma seule pensée serait sûrement de trouver le moyen de te sauver, et je te prendrais dans mes bras comme ça! – Commence par ne pas te piquer à une de mes épingles!

– Je ne peux rien imaginer de plus beau que de verser mon sang pour toi! – Auguste, mon amour! – Grete, ma douceur! »

Là-dessus l'entretien s'interrompit. Norbert entendit encore des bruits confus, tissus qui crissent, chaises qu'on remue, puis ce fut le silence et il retomba dans son demi-sommeil. Celui-ci le transporta à Pompéi, juste au moment où le Vésuve entrait en éruption; un grouille-ment bariolé de gens en train de s'enfuir formait une mêlée autour de lui, et il aperçut tout à coup un peu plus bas l'Apollon du Belvédère qui enlevait la Vénus Capitoline, l'emportait et dans une ombre ténébreuse la déposait en sûreté sur quelque chose, une voiture ou carriole avec laquelle il dut l'emmener car un bruit de grincements s'éleva de par là. Cet épisode mythologique ne surprit pas plus que ça le jeune archéologue; en revanche ce qui frappa son attention, c'est que tous deux ne parlaient pas en grec mais en allemand, car il entendit au bout d'un petit moment, ce qui lui fit reprendre conscience à demi : « Grete, ma douceur! – Auguste, mon amour! »

Pour le coup, le spectacle qui l'entourait dans son rêve se transforma complètement. Un silence absolu remplaça les bruits confus, et au lieu de la fumée et des lueurs des flammes, la lumière claire et chaude du soleil se répandit sur les ruines de la ville ensevelie. Celle-ci à son tour se transforma peu à peu, devint un lit, et sur les draps blancs des rayons d'or se déroulèrent jusqu'à ses yeux : Norbert Hanold s'éveilla, entouré de la splendeur du petit matin romain.

En lui aussi s'était entre-temps produite une transfor-mation, de sorte que, sans pouvoir préciser comment, il se sentait envahi de nouveau par le sentiment singuliè-

rement oppressant d'être enfermé dans une cage : cette
fois, c'est de Rome qu'il s'agissait. Quand il ouvrit la
fenêtre, les cris de toute sorte des marchands dans la rue
vinrent lui percer les oreilles, encore plus stridents qu'au
pays, en Allemagne; il était simplement passé d'une
bruyante carrière de pierres dans une autre, et une angoisse
étrangement inquiétante le saisissait d'effroi à l'idée de
visiter des collections d'antiquités : s'il allait y rencontrer
encore l'Apollon du Belvédère avec sa Vénus Capitoline?
Après une brève réflexion, il renonça donc à son projet
de chercher un appartement, refit en rien de temps sa
valise et reprit le train pour continuer vers le sud. Afin
d'éviter la présence des *inséparables,* il voyagea dans un
wagon de troisième classe, s'attendant du même coup à
être entouré d'une collection intéressante, et pour lui
profitable du point de vue scientifique, de ces Italiens
du peuple qui avaient jadis servi de modèles aux œuvres
d'art antiques. En fait, il ne trouva rien que la saleté
courante dans le pays, l'odeur atroce des cigares de
fabrication locale, des bonshommes petits, contrefaits,
gesticulant des bras et des jambes, et des représentantes
du sexe féminin auprès de qui les femmes mariées de
son pays, telles qu'il se les rappelait, auraient encore été
à peu de chose près des déesses de l'Olympe!

Deux jours plus tard, Norbert Hanold occupait une
pièce un peu douteuse baptisée *camera* à l'Hôtel Diomède, tout près de l'*ingresso* où les eucalyptus montent
la garde à l'entrée des fouilles de Pompéi. Il avait
envisagé de rester un certain temps à Naples pour revoir
de façon plus poussée les sculptures et les fresques du
Museo Nazionale, mais il lui était arrivé là-bas la même

aventure qu'à Rome. Dans la salle où sont rassemblés les ustensiles de ménage trouvés à Pompéi, il se vit enveloppé d'une nuée de robes de voyage à la dernière mode, qui avaient sans nul doute pris immédiatement et sans tarder la suite des robes de mariées de satin, de soie ou de gaze éblouissantes de virginale splendeur; chaque robe était accrochée par la manche au bras d'un compagnon plus jeune ou plus âgé, tout aussi impeccablement habillé en homme, et le regard de Norbert, fort d'une compétence nouvelle dans un domaine du savoir qu'il ignorait jusque-là, avait fait de tels progrès qu'il pouvait reconnaître au premier coup d'œil que chacun était un Auguste et chacune une Grete. Toutefois, dans cet endroit, à cause des oreilles étrangères, cela se révélait par une conversation différente, pleine à la fois de mesure et de discrétion : « Regarde donc comme ils avaient l'esprit pratique, nous allons nous acheter aussi un chauffe-plats comme celui-là! – Oui, mais pour les petits plats que va préparer ma femme, il faudrait qu'il soit en argent! – Comment sais-tu si ce que je te préparerai te plaira tellement? » La question était accompagnée d'un coup d'œil malicieux, et elle s'attira une brillante confirmation, comme vernie à la laque : « Ce que tu me serviras ne pourra être pour moi que du gâteau! – Non mais, n'est-ce pas là un dé à coudre? Les gens de cette époque avaient déjà des aiguilles? – On dirait bien, mais tu ne pourrais rien en tirer, mon cœur, il est bien trop gros même pour ton pouce! – Tu crois, réellement? Et tu préfères les doigts fins aux doigts épais? – Les tiens, je n'ai même pas besoin de les regarder, je les reconnaîtrais en plein dans le noir parmi tous les autres du monde! – En vérité, tout cela est terriblement passionnant. Mais maintenant, est-ce qu'il faut absolu-

ment aller à Pompéi même? — Non, ça n'en vaut guère
la peine, il n'y a plus que des vieilles pierres et des
décombres; ce qui avait de la valeur, d'après le Baedeker,
a été ramené ici. Et puis, j'ai peur que là-bas le soleil
ne soit déjà trop brûlant pour un teint délicat comme
le tien, et cela je me le reprocherais toute ma vie... —
Mais si tu avais tout d'un coup pour femme une négresse?
— Non, heureusement je ne peux pas imaginer quelque
chose comme ça; mais simplement une tache de rousseur
sur ton petit nez suffirait à me rendre malheureux. Je
pense, si tu es d'accord, ma chérie, que demain on
prendra la route pour Capri. Là-bas, il paraît que tout
est organisé avec le maximum de commodité, et dans
le magnifique éclairage de la Grotte d'Azur, je pourrai
enfin me rendre pleinement compte de quel gros lot j'ai
tiré à la loterie du bonheur! — Toi alors, si quelqu'un
t'entend, je crois que je serai couverte de honte! Emmène-
moi où tu voudras, je suis tout à fait d'accord, et ça
m'est égal où l'on va du moment que je t'ai près de
moi. »

Partout alentour, des Auguste et des Grete, avec un
brin de mesure et de discrétion à cause des oreilles et
des yeux : Norbert avait l'impression d'être inondé de
sirop de miel et d'être obligé d'en avaler gorgée sur
gorgée jusqu'à plus soif. Cela lui donna la nausée et il
se précipita hors du *Museo Nazionale* jusqu'à l'*osteria* la
plus proche boire un verre de vermouth. Dix fois la
question revint avec insistance : pourquoi un tel couple,
multiplié en cent exemplaires, envahissait-il les musées
de Florence, Rome et Naples au lieu de se livrer à ses
diverses occupations chez soi, en Allemagne, dans la
mère patrie? Du moins avait-il retenu au fil de quantité
d'entretiens et d'échanges amoureux que la majorité des

couples d'oiseaux n'avaient pas l'intention d'aller nicher parmi les décombres de Pompéi, mais qu'ils trouvaient plus judicieux d'infléchir leur vol en direction de Capri, et cela fit naître en lui sans tarder l'impulsion de faire ce qu'ils ne faisaient pas. Toutes proportions gardées, cela lui offrait à tout le moins une dernière chance de s'échapper du gros de la troupe de ce vol de bécasses et de trouver justement ce qu'il s'évertuait à chercher dans cette contrée d'Hespérie. C'est-à-dire encore un couple, mais pas en voyage de noces : un couple de sœurs qui n'auraient pas toujours le bec ouvert pour roucouler, la Tranquillité et la Science, deux sœurs paisibles près desquelles sa propre solitude parviendrait à se loger selon ses goûts. Sa nostalgie de les retrouver comportait quelque chose qui jusque-là lui était étranger – si ce n'avait été une contradiction en soi, il aurait pu qualifier cette aspiration de « passionnée » – et à peine une heure plus tard il était installé dans une *carozella,* qui l'emportait loin de là à grande allure à travers les villes qui se touchent de Portici et de Resina. Ce trajet semblait se dérouler dans une rue splendidement décorée pour un triomphateur de la Rome antique; à droite et à gauche, presque toutes les maisons étalaient, semblables à des tapisseries tirant sur le jaune, des quantités inimaginables de *pasta da Napoli* en train de sécher au soleil : c'est le plus savoureux des produits locaux, avec des calibres variés, tous les macaroni, vermicelles, spaghetti, cannelloni et fidelini, qui sur place doivent l'essence précieuse de leur goût aux odeurs graillonneuses des gargotes, aux tourbillons de poussière, aux mouches et puces, aux écailles de poisson qui valsent dans l'air, aux fumées des cheminées et à maints ingrédients de ce genre, tant diurnes que nocturnes. Bientôt le cône du Vésuve surgit

tout proche, dominant les champs d'éboulis de lave; à
sa droite s'étendait le golfe avec son bleu étincelant,
comme un mélange liquide de malachite et de lapis-
lazuli. La petite coque de noix montée sur roues, comme
emportée dans les tourbillons d'une folle tempête et
comme si chaque seconde devait être sa dernière, survolait
les pavés inhumains de Torre del Greco, traversait en
grinçant Torre dell'Annunziata, atteignait ce couple de
Dioscures que sont l'Hôtel Suisse et l'Hôtel Diomède,
qui confrontent leur pouvoir d'attraction en une compé-
tition inlassable, silencieuse et acharnée, pour s'arrêter
enfin devant le second, dont le nom tiré de l'Antiquité
classique avait incité le jeune archéologue à le choisir
pour logis cette fois comme lors de sa première visite.
En tout cas c'est en affichant la plus grande sérénité que
son moderne concurrent helvétique considérait depuis sa
porte le spectacle de cette arrivée : il était rasséréné par
l'idée que dans les casseroles du voisin classique rien
n'était préparé avec une eau différente de la sienne et
que les splendeurs antiques qui étaient proposées à la
vente en face pour appâter le chaland n'avaient pas plus
que les siennes revu le jour après avoir passé deux
millénaires enfouies sous la cendre.

C'est ainsi que contre toute attente et sans en avoir
eu l'intention, Norbert Hanold s'était vu en peu de jours
transféré de son Nord allemand jusqu'à Pompéi; il avait
trouvé le Diomède relativement peu rempli d'hôtes
humains, mais surabondamment peuplé de *musca domestica communis,* la mouche domestique commune. Il n'avait
jamais eu l'occasion de se rendre compte que son tem-
pérament était sujet à des réactions violentes, mais il
éprouva une haine incendiaire contre ces diptères : il les
considérait comme la plus infâme des calamités inventées

par la nature; à cause d'elles il donna à l'hiver, comme
à la seule saison autorisant l'homme à vivre correctement,
une large préférence sur l'été et il découvrit en elles une
preuve irréfutable qu'il n'existe point d'ordonnance
rationnelle du monde. Donc les mouches l'accueillaient
là quelques mois avant la date prévue en Allemagne
pour faire de lui la victime de leur abjection; dès son
arrivée elles l'assaillirent par douzaines, comme une proie
impatiemment attendue, lui vrombissant dans les yeux,
lui bourdonnant dans les oreilles, s'emmêlant dans ses
cheveux, lui courant sur le nez, le front, les mains en le
chatouillant. Beaucoup lui rappelèrent alors les couples
en voyage de noces : elles devaient aussi probablement
se dire dans leur langage « Auguste mon amour » et
« Grete ma douceur ». Ses tourments lui remirent en
mémoire le *scacciamosche,* il mourait de désir de posséder
une tapette-à-mouches d'excellente fabrication comme il
en avait vu une au musée étrusque de Bologne, trouvée
sous la stèle d'un tombeau. Car déjà dans l'Antiquité
cette créature infecte avait été le fléau de l'humanité,
plus maligne et plus tenace que les scorpions, les serpents
venimeux, les tigres et les requins : ceux-ci, au moins,
n'avaient d'autre but que de blesser dans leur chair, de
déchirer ou d'avaler ceux qu'ils attaquaient, et l'on pouvait d'ailleurs s'en protéger en agissant avec prudence.
Contre la mouche domestique commune, en revanche,
il n'y avait aucune défense possible, et elle paralysait,
bouleversait, détraquait finalement l'homme dans son
existence morale, dans ses capacités de penser et de
travailler, dans ses plus hautes aspirations et ses plus
belles émotions. Ce n'est ni la faim ni la soif de sang
qui la poussait à cela, mais purement et simplement la
joie diabolique de martyriser : elle était « la chose en

soi », dans laquelle le Mal absolu a trouvé son expression et son incarnation. Le *scacciamosche* étrusque, un manche de bois au bout duquel est solidement fixé un faisceau de fines lanières de cuir, en portait témoignage : c'étaient bien elles qui avaient déjà fait fuir de la tête d'Eschyle les plus sublimes inventions poétiques, qui avaient fait déraper le ciseau de Phidias en une entaille difficile à rattraper, qui avaient couru sur le front de Zeus, sur la poitrine d'Aphrodite, sur le corps divin des Olympiens depuis le haut jusqu'en bas, et Norbert était pénétré de l'intime conviction que le mérite d'un être humain ne se mesure à rien d'autre qu'au nombre de mouches que durant sa vie, pour venger la totalité de la race des hommes depuis les origines, il a écrasées, transpercées, brûlées, exterminées en de quotidiennes hécatombes.

Mais pour conquérir cette gloire, il n'avait pas sous la main l'arme indispensable, et tout comme le plus grand héros de l'Antiquité réduit à se battre tout seul n'aurait rien pu faire d'autre, il dut se replier devant des ennemis sans valeur mais cent fois supérieurs en nombre, abandonnant le terrain – autrement dit sa chambre. Une fois dehors, il eut la révélation qu'il n'avait fait ce jour-là en petit que ce qu'il aurait à recommencer en grand le lendemain : Pompéi ne lui offrait manifestement pas le séjour reposant et réconfortant dont il avait besoin. Au surplus, cette constatation pour le moins sombre se doublait d'une autre, à savoir que son insatisfaction ne provenait pas uniquement de ce qui l'entourait, mais trouvait aussi en partie son origine en lui-même. Sans doute avait-il très mal supporté d'être tracassé par les mouches, mais jamais encore jusque-là elles n'avaient fait monter sa fureur à un tel degré. Il était incontestable que du point de vue nerveux il se trouvait instable et irritable à la suite de son

voyage, mais ce déséquilibre avait dû commencer chez
lui, dans l'atmosphère confinée de l'hiver et avec le sur-
menage. Il sentait qu'il était de mauvaise humeur parce
qu'il lui manquait quelque chose, sans pouvoir dire quoi.
Et cette mauvaise humeur, il la transportait partout avec
lui; sûrement ces essaims de mouches de maison et de
couples jeunes mariés qui vous tournent autour n'étaient
pas faits pour rendre la vie agréable où que ce soit;
pourtant, à moins de s'envelopper dans un épais nuage
d'autosatisfaction, il devait bien reconnaître qu'il était
lui-même en train de courir sans but et sans raison à
travers l'Italie, aussi aveugle et sourd que les autres, avec
simplement une capacité à y prendre plaisir nettement
moindre que la leur. Décidément sa compagne de voyage,
la Science, ressemblait beaucoup à une vieille trappistine
qui n'ouvre la bouche que quand on lui adresse la parole,
et il avait l'impression de ne plus se souvenir dans quelle
langue il avait bien pu lui arriver de communiquer avec
elle.

Pour se rendre à Pompéi ce jour-là en passant par
l'*ingresso,* il était déjà trop tard. Norbert se rappela
qu'autrefois il avait fait le tour de la cité sur les anciens
remparts et chercha le moyen d'y monter à travers toute
espèce de buissons et broussailles. Il se promena ainsi
sur une certaine distance en dominant la ville funéraire,
qui s'étendait à sa droite dans le calme et le silence. Il
la voyait comme un champ de décombres sans vie, déjà
en grande partie recouvert d'ombre car le soleil couchant,
à l'ouest, n'était plus très élevé au-dessus de l'horizon
de la mer Tyrrhénienne. Néanmoins ailleurs alentour il
déversait de magiques reflets de vie sur les sommets
montagneux et sur toute la campagne, il dorait le panache
de fumée qui s'étirait au-dessus du cratère du Vésuve,

il revêtait de pourpre les créneaux et les dents du monte Sant'Angelo. Solitaire se dressait le monte Epomeo, s'élevant d'une mer au miroitement bleu qui jetait des étincelles de lumière et sur laquelle le cap Misène se détachait, sombre silhouette, comme une mystérieuse construction de Titans. Partout où tombait le regard s'étendait un merveilleux tableau associant le sublime et le gracieux, le lointain passé et le merveilleux présent. Norbert Hanold avait cru trouver là ce vers quoi le portait son désir indéterminé. Mais il n'était pas dans la bonne disposition d'esprit pour cela, quoique sur le rempart abandonné il ne fût importuné ni par les jeunes couples ni par les mouches : la nature elle-même n'était pas en mesure de lui offrir ce dont il ressentait l'absence autour de lui comme en lui. Avec une nonchalance qui confinait à l'indifférence il laissa ses yeux aller sur toutes ces beautés, sans regretter le moins du monde de les voir pâlir et se dissoudre avec le coucher du soleil, puis il revint au Diomède aussi insatisfait qu'il en était parti.

Mais enfin, puisque de toute façon il se trouvait installé là *invita Minerva,* à cause de sa décision irréfléchie, il en vint au cours de la nuit à la conclusion qu'il fallait tirer un avantage scientifique de la sottise qu'il avait faite, ne fût-ce que l'espace d'une journée : aussitôt qu'au matin l'*ingresso* fut ouvert, il s'engagea sur le chemin normal qui conduit à Pompéi. Devant et derrière lui déambulaient, en petites unités commandées par le guide de rigueur, armés du Baedeker rouge ou d'un de ses cousins étrangers, les gens qui peuplaient alors les deux hôtels, tout excités à l'idée de se livrer discrètement à leurs petits grappillages personnels; dans l'air encore frais du matin, on entendait jacasser presque uniquement en anglais et en américain : les jeunes couples allemands, là-bas à Capri, derrière le monte Sant'Angelo, étaient en train de partager leur bonheur à la table du petit déjeuner dans leur quartier général, chez Pagano, avec une suavité et une exaltation toutes germaniques. Norbert connaissait depuis longtemps le moyen de se débarrasser de la gêne du *guida* à l'aide de quelques mots bien choisis accompagnés d'une bonne *mancia*, afin de pouvoir se promener tout seul, sans entraves, suivant son idée. Il éprouva une certaine satisfaction à se retrouver en possession d'une mémoire sans défaut : partout où tombait son regard, choses et lieux étaient exactement conformes à l'image qu'il en avait conservée, comme si c'était la veille seulement qu'il les avait gravés dans sa tête en les observant en spécialiste. Mais d'un autre côté, cette constatation qui se répétait avec régularité impliquait que sa présence en chair et en os sur les lieux était tout à fait inutile, et une indifférence radicale s'empara progressivement de son regard et de son intelligence, comme la veille au soir sur le rempart. Alors qu'il apercevait en levant les yeux le panache de fumée sur le cône du Vésuve dont la plus grande partie se détachait sur le bleu du ciel, chose inattendue il ne lui revint pas une seule fois en mémoire qu'il avait rêvé peu de temps auparavant avoir assisté à l'ensevelissement de Pompéi en 79 par l'éruption du volcan. À force de se promener des heures durant en visiteur, il se retrouva passablement fatigué et à moitié somnolent, sans éprouver le moindre sentiment d'une atmosphère onirique : au contraire, il n'était entouré que d'un chaos de ruines, morceaux de portes voûtées, de colonnes et de murailles, spectacle d'une incomparable valeur du point de vue archéologique mais qui, sans l'aide d'une science rébarbative, n'offrait pas grand-chose de particulier à voir en dehors d'un énorme amas de débris, bien déblayé et bien entretenu, et pour cette raison même extraordinairement insipide. Et même si le savoir et les rêves orientent d'habitude leurs pas dans des directions opposées, tous deux étaient manifestement parvenus cette fois à s'entendre pour priver Norbert Hanold de leurs appuis respectifs, l'abandonnant totalement à ses déambulations errantes et à ses inutiles contemplations.

C'est ainsi qu'il avait zigzagué du forum à l'amphithéâtre et de la *porta di Stabia* à la *porta del Vesuvio,* parcourant en long et en large l'avenue des Tombeaux et d'innombrables autres. Pendant ce temps le soleil avait accompli son trajet de chaque matin, jusqu'à l'endroit où d'ordinaire il cesse de monter pour se diriger du côté de la mer; du même coup, il donnait aux Anglais et Américains, mâles et femelles, venus pour obéir aux devoirs du touriste, le signal qui faisait la joie de leurs guides, lesquels avaient parlé sans être compris jusqu'à en perdre la voix, le signal disant qu'on ne devait pas oublier non plus d'aller goûter le confort de s'asseoir devant un déjeuner dans l'un des hôtels Dioscures; d'ailleurs, ils avaient vu de leurs propres yeux tout ce qui était indispensable pour en faire un sujet de conversation outre-Manche comme outre-Atlantique, et rassasiés de passé ils faisaient retraite par petites unités, ils refluaient tous d'un même mouvement dans la *via Marina* afin que, revenus au temps présent, leur estomac n'ait pas à souffrir d'une portion réduite aux tables dites, sans doute en manière d'euphémisme, luculliennes aussi bien chez Diomède que chez Monsieur Suisse. À bien considérer ce qu'il en était à la fois à l'intérieur et à l'extérieur, c'était là de toute évidence ce que ces gens pouvaient faire de plus sage, car si le soleil de midi au mois de

mai était sûrement une bénédiction pour les lézards,
papillons et autres habitants ou visiteurs ailés de ces
vastes champs de ruines, il était déjà à coup sûr un
danger pour le teint nordique d'une Mistress ou d'une
Miss au moment où la verticale rendait ses rayons implacables. Et c'était vraisemblablement la raison pour laquelle
durant la dernière heure écoulée le nombre des « charming » avait diminué dans une proportion notable au
fur et à mesure qu'augmentait celui des « shocking », et
les « aoh » des messieurs s'échappaient de rangées de
dents encore plus béantes qu'auparavant, révélant une
inquiétante propension à se transformer en bâillements.

Mais de façon curieuse, à l'instant même où se produisait cet exode, ce qui avait été la cité de Pompéi
prenait un visage tout à fait différent. Pas du tout un
air vivant : c'est à ce moment-là seulement que la ville
paraissait se pétrifier tout entière en une immobilité de
mort. Il en émanait comme l'impression que la mort se
mettait à parler, encore que d'une façon imperceptible
pour des oreilles humaines. De fait, çà et là se répandait
comme un murmure sorti des pierres et qu'éveillait
seulement le léger vent du sud à la voix chuchotante,
l'antique *atabulus* qui, deux millénaires plus tôt, avait
ainsi bourdonné entre les temples, les marchés, les maisons, et qui maintenant jouait et folâtrait avec les tiges
vertes des herbes qui scintillaient au pied des restes de
murailles. Venu des côtes de l'Afrique, il lui arrivait
souvent de cracher un peu partout à pleine poitrine ses
mugissements et sifflements sauvages ; mais ce n'était pas
alors le cas, il se contentait de caresser avec délicatesse
ses anciennes connaissances revenues à la lumière du jour.
Incapable de se défaire de ses vieilles habitudes de fils

du désert, sans être vraiment déchaîné il soufflait sur
tout ce qu'il rencontrait avec une haleine brûlante.

En cela il était aidé par l'étoile de notre monde, sa
mère éternellement jeune. La lumière de celle-ci renforçait
l'ardeur de son souffle et, achevant ce qu'il n'avait
qu'amorcé, elle inondait toutes choses d'un éclat trem-
blotant, clignotant et aveuglant. Comme avec un grattoir
d'or, elle avait éliminé le plus mince rai d'ombre des
façades des maisons le long des *semitae* et des *crepidines
viarum* – c'est le nom qu'on donnait autrefois aux trot-
toirs –, et elle jetait dans les vestibules, atriums, péristyles
et autres *tablinum* de denses gerbes de rayons ou bien,
quand l'avancée d'un toit lui en interdisait l'accès, tout
au moins une cascade d'étincelles. Il n'y avait presque
plus nulle part un recoin où se protéger contre ces flots
de lumière et s'envelopper d'un voile de demi-jour argenté.
Toutes les rues s'étiraient entre les murs anciens comme
d'immenses pièces de toile de lin déroulées après la
lessive en de blancs ruissellements; toutes jusqu'à la
dernière également dépourvues de bruit et de mouvement, car il n'y avait pas que les envoyés de l'Angleterre
et de l'Amérique qui eussent disparu avec leurs voix de
crécelle et leurs accents nasillards : le petit monde jusqu'alors animé des lézards et des papillons semblait avoir
déserté le domaine rendu au silence des ruines. Il n'en
était rien en réalité, c'est le regard qui ne percevait pas
leurs mouvements. Comme faisaient déjà leurs ancêtres
il y a des millénaires en pleine nature, au flanc des
montagnes et le long des rochers, à l'heure où le Grand
Pan se couchait pour dormir, ils s'étaient là aussi, pour
ne pas le déranger, étendus sans un mouvement ou posés
dans un coin, les ailes réunies. Et c'était comme s'ils
ressentaient ici plus fort qu'ailleurs la loi brûlante et

sacrée de la tranquillité de midi, qui veut qu'à l'heure des esprits la vie se taise et s'apaise, parce que les morts s'éveillent en son sein et se mettent à converser dans la langue muette des fantômes.

Cet autre visage que les choses prenaient là autour ne s'imposait pas particulièrement aux yeux, mais se révélait plutôt au sentiment, ou plus exactement à un sixième sens qui n'a pas de nom, mais si puissant et si persistant que celui qui en est doué ne trouve jamais le moyen de se soustraire à ses effets. On aurait eu du mal à repérer une personne pourvue de ce sens parmi les estimables clients des deux sexes en train de s'activer déjà de la cuillère à soupe aux tables d'hôtes des *alberghi* qui flanquent l'*ingresso,* mais Norbert Hanold avait jadis reçu ce don de la nature, et il devait en subir les conséquences. Il n'y mettait certainement pas du sien : il ne désirait, il ne souhaitait rien de mieux, en fait, au lieu de s'être imposé cet absurde voyage de printemps, que de se trouver bien tranquillement assis dans son cabinet de travail avec un ouvrage d'érudition entre les mains. Seulement, alors qu'il venait tout juste de quitter l'avenue des Tombeaux pour gagner le centre de la cité en passant par la Porte d'Herculanum et que, sans avoir réfléchi un instant ni conçu le moindre projet, il s'était engagé sur sa gauche dans l'étroit *vicolo* qui se trouve près de la *Casa di Sallustio,* ce fameux sixième sens s'éveilla soudain en lui. En réalité, cette manière de dire les choses ne convient pas : à partir de là, plutôt, il se trouva dans un état de rêverie merveilleux, qui tenait à peu près le milieu entre une pleine conscience et pas de conscience du tout. On aurait dit qu'il y avait quelque part un secret dans cette tranquillité de mort qui régnait tout autour de lui sous les flots de lumière, à ce point

dépourvue de souffle que sa propre poitrine osait à peine
aspirer de l'air. Il se tenait à un carrefour, là où le *vicolo
di Mercurio* croise la *strada di Mercurio,* plus large et
qui s'étend loin à droite et à gauche; comme il sied au
dieu du Commerce, c'est là que jadis étaient installés
commerçants et artisans, tous les coins de rues le disaient
sans avoir besoin de parler. À chaque pas s'ouvraient
des *tabernae,* des boutiques avec des comptoirs couverts
de marbre en morceaux; ici l'aménagement révélait une
boulangerie, là-bas une série de grands pots de grès ronds
et ventrus le magasin d'huile et de farine. En face,
plantées dans le dessus de la table, des amphores plus
minces et munies d'anses prouvaient que l'endroit derrière elles avait été un débit de boissons : c'est ici que
le soir, en foule, esclaves et servantes du voisinage avaient
dû se presser avec leurs cruches pour rapporter à leurs
maîtres du vin de la *caupona*; on voyait sur la *semita*
devant la boutique, mais devenue illisible, l'inscription
de petites pierres incrustées en mosaïque qu'avaient fou-
lée tellement de pieds et qui devait présenter aux passants
l'éloge de son *vinum praecellens.* Sur le mur de façade,
à mi-hauteur d'homme, vous lorgnait un « graffito »,
vraisemblablement gravé dans le crépi par un écolier
avec l'ongle ou un bout de fer, qui commentait peut-
être ironiquement cette publicité en suggérant que le vin
du cabaretier devait sa qualité inégalable à ce qu'on
n'épargnait pas l'eau qu'on y adjoignait.

Car il semblait bien que dans ce griffonnage se détachait aux yeux de Norbert Hanold le mot *caupo,* à moins
que ce ne fût une illusion : il ne pouvait l'établir avec
certitude. Il possédait une compétence affirmée dans l'art
de déchiffrer les graffiti les plus difficiles à interpréter, il
avait déjà accompli dans ce domaine des exploits qui

l'avaient fait connaître, et pourtant dans le cas présent
c'était la panne complète. Et, plus grave que cela, il
avait comme le sentiment de ne plus rien comprendre
au latin, et trouvait absurde de sa part de vouloir lire
ce que deux millénaires auparavant un gamin de qua-
trième pompéien avait gribouillé sur un mur. Sa science
ne s'était pas contentée de l'abandonner, elle l'avait laissé
sans la moindre envie de la retrouver; il ne s'en souvenait
que comme d'une chose bien lointaine et dans son esprit,
elle n'avait été qu'une vieille tante desséchée et ennuyeuse,
la créature du monde la plus racornie, la plus superflue.
Tout ce qu'elle énonçait avec un air pédant de ses lèvres
ridées et qu'elle présentait comme étant la sagesse, ce
n'était que pure grandiloquence pleine de vide, cela ne
faisait qu'ergoter sur les pelures sèches des fruits de la
connaissance sans rien révéler de leur essence, pulpe et
noyau, sans rien apporter qui donne de la joie à s'en
emparer. Ce qu'elle enseignait, c'était une vision d'archéologue, dépourvue de vie, et ce qui sortait de sa
bouche, c'était une langue de philologue, morte. Rien
de tout cela n'aidait à concevoir quoi que ce soit avec
l'âme, l'affectivité, le cœur, qu'on l'appelle comme on
voudra, mais celui qui portait en lui ce désir-là devait
venir ici, unique être vivant seul dans la brûlante tranquillité de midi parmi les débris du passé, pour ne plus
voir avec les yeux du corps, ne plus entendre avec les
oreilles de chair. Et c'est alors que quelque chose sur-
gissait sans faire un mouvement et se mettait à parler
sans émettre un son — c'est alors que le soleil faisait
fondre la rigidité funéraire des vieilles pierres, un ardent
frisson les parcourait, les morts s'éveillaient et Pompéi
commençait à revivre.

Ce n'était point là dans la tête de Norbert Hanold

des pensées à proprement parler blasphématoires, rien qu'un sentiment confus qui, lui, méritait tout à fait d'être ainsi qualifié ; et c'est avec ce sentiment que, debout sans bouger, il regardait devant lui la *strada di Mercurio* s'allonger jusqu'aux remparts de la cité. Les blocs de lave équarris qui faisaient son pavage étaient encore là par terre, impeccablement assemblés comme avant d'avoir été ensevelis, et s'ils étaient, à les regarder en détail, d'une couleur gris clair, une clarté tellement aveuglante pesait sur eux qu'ils s'étiraient comme un ruban de piqué blanc argenté entre deux rangées de murs silencieux et de tronçons de colonnes, dans le vide surchauffé.

Et soudain...

Il avait les yeux ouverts, fixés sur l'enfilade de la rue, mais ce fut comme si cela se passait dans un rêve : soudain là-bas, un peu plus loin, débouchant de la droite et s'avançant légèrement de la *Casa di Castore e Polluce,* foulant les pierres de lave qui conduisent de cette maison à l'autre côté de la *strada di Mercurio,* apparut sa Gradiva au pas alerte et léger.

Sans aucun doute c'était elle ; malgré les rayons du soleil qui entouraient sa silhouette d'une sorte de voile d'or vaporeux, il la reconnut nettement, elle présentait juste le même profil que sur le bas-relief. La tête était un peu inclinée en avant, les cheveux pris dans un fichu qui retombait sur la nuque, la main gauche tenait quelque peu remontée la robe extraordinairement plissée qui ne descendait pas plus bas que les chevilles et qui laissait voir en toute clarté que pendant le mouvement de la marche le pied droit qui restait en arrière durant un instant se relevait sur la pointe des orteils avec le talon presque à la verticale. Mais ce n'était pas là une repré-sentation de pierre uniformément dépourvue de couleurs :

à l'évidence confectionné dans un tissu extra-souple et moelleux, son vêtement avait au lieu de la froide blancheur du marbre un ton chaud tirant sur le jaune, et sa chevelure, dont quelques légères ondulations apparaissaient au-dessous du fichu sur le front et les tempes, avait des reflets d'un brun doré qui faisaient ressortir la teinte d'albâtre de son visage.

Au moment même où il l'apercevait, Norbert se rappela soudain avec netteté qu'il l'avait déjà vue en rêve marcher ainsi une fois au même endroit, la nuit où là-bas au forum elle s'était allongée comme pour dormir sur les marches du temple d'Apollon; avec ce souvenir quelque chose d'autre lui revint, dont il prit conscience pour la première fois: s'il était parti pour l'Italie sans avoir dans son for intérieur la moindre idée de ce qui l'y incitait et s'il avait poussé jusqu'à Pompéi sans s'arrêter à Rome et à Naples, c'était sûrement pour chercher à retrouver sa trace. Et une trace au sens propre du mot, car avec sa démarche bien particulière, ses orteils avaient dû laisser derrière elle dans la cendre une marque facile à repérer au milieu des autres.

C'était donc à nouveau une figure de rêve, comme dans les rêveries du plein jour, qui se déplaçait là devant lui, et c'était également une réalité. Cela devint manifeste quand son apparition produisit un effet dans le réel: sur la dernière dalle du trottoir d'en face était étendu de tout son long, immobile dans la lumière flamboyante du soleil, un gros lézard dont le corps en quelque sorte tissé d'or et de malachite envoyait son image distincte et lumineuse jusqu'aux yeux de Norbert, mais à l'approche de ce pied qui venait dans sa direction, il se jeta soudain au bas du trottoir et se coula loin de là parmi la blancheur étincelante des dalles de lave.

Gradiva traversa la rue sur les dalles de son pas paisible et alerte, et poursuivit sa marche sur le trottoir de l'autre côté en tournant le dos à Norbert; elle paraissait avoir pour but la Maison d'Adonis. À la hauteur de celle-ci, elle marqua un temps d'arrêt, puis repartit comme si elle changeait d'avis, en continuant la *strada di Mercurio*. Il n'y restait plus guère en fait de constructions célèbres que sur la gauche la *Casa di Apollo* – ainsi nommée à cause des nombreuses statues d'Apollon qu'on y avait découvertes –, et en la regardant il lui revint à l'esprit qu'elle avait déjà choisi le portique du temple d'Apollon pour son dernier sommeil. Elle était donc vraisemblablement liée par un lien spécial au culte du dieu du Soleil, et c'est là qu'elle se rendait. Mais bientôt elle s'arrêta une nouvelle fois : ici aussi des dalles de pierre permettaient de traverser la rue, et elle revint sur le côté droit de la chaussée. Elle révéla alors son autre profil, et apparut un peu différente, car sa main gauche qui tenait la robe relevée ne fut plus visible et au lieu de ce bras fléchi on voyait l'autre bras pendant tout droit le long du corps. Cependant, comme elle s'était pas mal éloignée et que les vagues d'or du soleil l'enveloppaient d'un voile de rayons plus épais, il ne fut plus possible de distinguer ce qu'elle était devenue : elle avait disparu d'un coup à la hauteur de la Maison de Méléagre.

Norbert restait planté là, n'ayant pas fait le moindre mouvement. Ses yeux seuls, mais cette fois ses yeux de chair, avaient suivi et enregistré son image qui à chaque pas devenait de plus en plus petite. Il reprit alors enfin son souffle en respirant profondément car sa poitrine elle-même était restée à peu près immobile.

Du même coup son sixième sens, refoulant les autres dans le néant, le prit tout entier en son pouvoir. Ce qui venait d'avoir lieu devant lui, était-ce le produit de son imagination ou quelque chose de réel?

Il ne le savait pas, ignorant s'il rêvait ou s'il était éveillé, et il cherchait en vain à y voir clair. Puis soudain il sentit un étrange frisson lui courir dans le dos. Il ne voyait ni n'entendait rien mais il devinait, à de mystérieuses vibrations de son être, qu'autour de lui Pompéi s'était remise à vivre à cette heure de midi chère aux fantômes, que Gradiva elle aussi revivait en ce moment et qu'elle avait pénétré dans la maison où elle habitait avant la fatale journée d'août 79.

Il connaissait la *Casa di Meleagro* pour l'avoir visitée auparavant, mais il n'y avait pas encore mis le pied cette fois-ci : il s'était seulement arrêté un instant en passant à Naples devant la fresque du *Museo Nazionale* qui représente Méléagre et sa compagne de chasse Atalante d'Arcadie, fresque qu'on avait trouvée dans cette maison de la rue de Mercure à laquelle elle avait donné son nom. Néanmoins, tout en se dirigeant vers elle à son tour après avoir retrouvé sa liberté de mouvements, il se demandait si cette maison devait bien réellement son nom à celui qui avait abattu le sanglier de Calydon. Il se souvenait soudain d'un poète grec nommé Méléagre, qui avait dû vivre à peu près un siècle avant la destruction de Pompéi : un descendant de ce poète avait pu venir s'installer ici et y construire sa maison. Cela concordait avec une autre idée qui lui revenait également à la mémoire : il se rappelait cette hypothèse qu'il avait faite, ou plutôt cette conviction qu'il avait eue, que Gradiva avait été de souche grecque. À cela se mêlait, en vérité, dans son imagination l'Atalante d'Ovide telle qu'elle est dépeinte dans les *Métamorphoses* :

La fibule au luisant ardillon fermait le haut de sa tunique,
Noués en une seule masse ses cheveux n'étaient pas autre-
*   ment apprêtés* [a].

Il avait du mal à bien restituer le texte de ces vers, mais
il en possédait le sens, et du fond de sa mémoire revenait
cet autre souvenir : la jeune épouse de Méléagre fils
d'Œneus s'appelait Cléopâtre. Pourtant, il y avait davantage de vraisemblance pour qu'il se fût agi non pas de
ce Méléagre-là, mais du poète grec. C'est ainsi que dans
la fournaise du soleil de Campanie voltigeaient à travers
sa tête des considérations archéologico-mythologico-his-
torico-littéraires.

Après être passé devant la Maison de Castor et Pollux
et celle du Centaure, il se trouvait maintenant dans la
Casa di Meleagro, dont le seuil lui présentait, encore
reconnaissable, son salut en incrustation, « *Have* ». Au
mur du vestibule, Mercure remettait à la Fortune une
bourse remplie de pièces; cette représentation allégorique
évoquait probablement la richesse et les coups de chance
dont avaient bénéficié les anciens · occupants. Derrière
s'ouvrait l'atrium, au milieu duquel se trouvait une table
de marbre ronde, portée par trois griffons.

L'endroit était vide et silencieux, accueillant avec une
totale étrangeté celui qui entrait, n'éveillant en lui aucun
souvenir d'une précédente visite. Pourtant, au bout d'un
moment, cela lui revint peu à peu, car l'intérieur de la
maison présentait une particularité par rapport aux autres
bâtiments de la cité qu'on avait exhumés. Le péristyle
n'était pas comme d'habitude dans le prolongement de
l'atrium, de l'autre côté du *tablinum* en allant vers le

---

a. Livre VIII, vers 310-311. *(N. d. T.)*

fond de la maison, mais il se trouvait sur la gauche, et du coup ses dimensions étaient bien plus grandes, son aménagement bien plus luxueux que dans aucune autre demeure de Pompéi. Il était entouré d'un portique, soutenu par deux douzaines de colonnes, peintes en rouge pour la moitié inférieure, laissées blanches dans leur partie supérieure. Elles conféraient un air de solennité à ces lieux spacieux et silencieux; au centre se trouvait un bassin en forme de fontaine, avec un pourtour joliment travaillé. Tout cela donnait à penser que la maison avait servi de résidence à un homme en vue, cultivé et amateur d'art.

Norbert promenait les yeux sur ce qui l'entourait et il prêtait attentivement l'oreille. Mais nulle part rien ne bougeait, pas le moindre bruit ne se faisait entendre. Parmi ces pierres froides ne circulait plus un souffle de vie : si Gradiva était venue dans la maison de Méléagre, elle était déjà retournée au néant.

Sur l'arrière du péristyle, il y avait encore une pièce contiguë, un *œcus,* l'ancien salon de réception, également entouré sur trois côtés de colonnes, mais peintes en jaune, qui vues de loin resplendissaient sous l'incidence de la lumière comme si elles avaient été plaquées d'or. Entre elles cependant éclatait une tache lumineuse d'un rouge encore plus flamboyant que celui des parois au-dessus, un rouge avec lequel, mieux qu'aucun pinceau de l'Antiquité n'aurait pu le faire, la jeune nature d'aujourd'hui colorait le sol. De ce dernier, l'ancien revêtement décoré avait complètement disparu, mis en miettes par les éboulements et les intempéries; mais on était au mois de mai, qui exerçait à nouveau son immémoriale souveraineté en couvrant tout l'*œcus,* comme il le faisait régulièrement dans nombre d'autres maisons de la cité funé-

raire, d'un rouge tapis de coquelicots épanouis, dont le
vent avait semé les graines en redonnant vie à la cendre.
Cela faisait une masse ondulante de fleurs serrées, ou du
moins on le croyait puisqu'en réalité elles restaient immobiles : l'*atabulus* ne descendait pas à leur niveau, il se
contentait de souffler mollement dans les hauteurs. Toutefois le soleil jetait sur elles un tel flamboiement de
lumière vibrante que cela donnait l'impression de vagues
rouges fluctuant à la surface d'un étang.

Dans d'autres maisons les yeux de Norbert Hanold
étaient passés sans s'arrêter sur un spectacle analogue,
mais il fut cette fois parcouru d'un frisson bizarre. Les
fleurs du rêve remplissaient l'espace, elles avaient poussé
au bord des eaux du Léthé, et Hypnos était étendu au
milieu d'elles, répandant le sommeil qui engourdit les
sens grâce aux sucs que la nuit amasse dans les rouges
calices. Comme il pénétrait dans l'*œcus* en passant par
le portique du péristyle, il eut le sentiment d'avoir les
tempes effleurées de l'invisible baguette qui endort par
l'antique vainqueur des dieux et des hommes; mais il
n'y eut pas de brutal assoupissement, rien qu'un charme
qui enveloppa sa conscience de douceur et de rêverie.
Cela ne l'empêchait pas pourtant de rester maître de ses
pas, et il s'avança un peu plus le long de la paroi de
l'ancien salon de réception, d'où le fixaient de vieilles
figures : Pâris attribuant la pomme, un satyre qui tenait
un aspic à la main et s'en servait pour terroriser une
jeune bacchante.

Mais voilà que soudain, de nouveau, alors qu'il ne
s'y attendait pas – à peine à cinq pas de lui, dans l'étroite
bande d'ombre que projetait une architrave, unique fragment resté en état de tout le portique du salon –, était
assise entre deux colonnes jaunes sur la marche d'en bas

une figure féminine vêtue de clair, qui à cet instant relevait un peu la tête en un léger mouvement. Elle offrit ainsi à voir à cet arrivant imprévu, dont manifestement elle venait juste de remarquer les pas, la totalité de son visage, ce qui provoqua chez lui une impression double car il apparaissait à ses yeux comme un visage en même temps étranger et bien connu, qu'il l'ait déjà vu ou seulement imaginé. Mais à la façon dont sa propre respiration fut suspendue et dont son cœur s'arrêta de battre, il sut sans aucun doute possible à qui appartenait ce visage. Il avait trouvé ce qu'il cherchait, ce qui l'avait inconsciemment poussé vers Pompéi : Gradiva poursuivait son apparence de vie à midi, à l'heure des fantômes, et elle était là assise devant lui telle qu'il l'avait vue dans son rêve en train de s'installer sur les marches du temple d'Apollon. Sur ses genoux était étalé quelque chose de blanc que le regard de Norbert n'était pas capable de distinguer nettement : cela paraissait être une feuille de papyrus, sur laquelle se détachait en rouge une fleur de coquelicot.

Son visage exprimait l'étonnement; sous la chevelure d'un brun lumineux, sous le beau front couleur d'albâtre, le regardaient deux yeux d'une extraordinaire clarté d'étoiles, surpris et interrogateurs. Il ne fallut pas bien longtemps à Norbert, en réalité, pour reconnaître la concordance de ses traits avec ceux du profil bien connu : c'est ainsi qu'ils devaient être vus de face, et voilà pourquoi au premier regard ils ne lui avaient pas semblé vraiment étrangers. De près, sa robe blanche qui tirait légèrement sur le jaune ambré prenait un ton plus chaud encore; visiblement elle était faite dans un fin tissu de laine d'une extrême souplesse, qui autorisait le savant drapé des plis, et c'est du même tissu que provenait le fichu qui couvrait sa tête. La partie de la brune chevelure qui débordait au-dessous de lui et qui brillait sur la nuque était souplement assemblée et n'était tenue que par un nœud unique; sur le devant du cou, sous un menton délicat, une petite fibule d'or retenait fermée sa tunique.

Norbert Hanold ne perçut tout cela que dans une demi-netteté : involontairement, après avoir saisi son panama et l'avoir ôté, il laissa tomber ces mots en grec : « Es-tu Atalante, fille de Iasos, ou descends-tu de la maison du poète Méléagre? »

Celle à qui il s'adressait ne répondit rien; sans un mot elle le regardait avec ses yeux à l'expression sereine et subtile, et deux pensées s'entrecroisèrent en lui : ou bien sous cette apparence d'être revenue à la vie elle était tout à fait incapable de parler, ou bien elle n'était pas originaire de Grèce et n'en parlait pas la langue. Alors il passa au latin et lui demanda : « Ton père était-il un éminent citoyen de Pompéi, d'origine latine? »

Mais elle ne répliqua pas davantage; il ne passa sur ses lèvres finement arquées qu'un léger mouvement fugitif, comme si elles réprimaient une envie de rire. Cette fois il eut peur : de toute évidence n'était assise devant lui qu'une statue muette, une ombre qui n'avait pas la faculté de parler. Le trouble qu'il ressentit à cette conclusion se marqua très nettement sur sa physionomie.

Mais alors ses lèvres à elle ne purent résister davantage à son envie de rire, un vrai sourire se joua sur elles et en même temps une voix s'en échappa, disant : « Si vous voulez parler avec moi, il faut le faire en allemand. »

Il était proprement extraordinaire que de telles paroles sortent de la bouche d'une Pompéienne morte depuis deux mille ans, ou plutôt cela l'aurait été pour un

auditeur jouissant d'une autre disposition d'esprit. Mais
pour Norbert, toute étrangeté s'évanouissait sous l'effet
de deux vagues d'impressions qui s'entrechoquaient en
lui, la première, que Gradiva possédait la faculté de
parler, la seconde, que les paroles prononcées par sa voix
avaient fortement impressionné son propre esprit. Cette
voix possédait la même clarté que ses yeux; plutôt grave,
rappelant une cloche qui tinte, elle vibrait dans la tranquillité de midi au-dessus des étendues de coquelicots
flamboyants, et le jeune archéologue prit tout à coup
conscience qu'en lui, dans son imagination, il l'avait déjà
entendue. Si bien que de manière irréfléchie il exprima
à haute voix son sentiment : « J'étais sûr que tu avais
cette voix-là. »

Le visage de la jeune femme révélait qu'elle cherchait
à y comprendre quelque chose, mais qu'elle n'y parvenait
pas. À sa dernière remarque, elle répliqua : « Comment
pourriez-vous le savoir? Vous n'avez encore jamais eu
une conversation avec moi! »

Lui ne trouvait pas le moins du monde insolite de
l'entendre parler allemand et s'adresser à lui dans les
formes de politesse actuelles; puisqu'elle le faisait, il
accepta sans difficulté l'idée qu'il ne pouvait en être
autrement, et il répondit aussitôt : « Une conversation,
non... mais je t'ai lancé un appel, lorsque tu étais en
train de t'allonger pour dormir, et je me suis tenu à tes
côtés... ton visage était aussi sereinement beau que s'il
avait été en marbre. Je t'en prie... pose-le encore une
fois comme il était sur la marche... »

Pendant qu'il parlait, quelque chose de singulier s'était
produit : hors des fleurs de coquelicots était apparu un
papillon doré, légèrement cerné de rouge au bord interne
des ailes supérieures, qui voltigeait parmi les colonnes :

il vint faire deux ou trois fois le tour de la tête de Gradiva et finit par se poser sur ses cheveux bruns ondulés, au-dessus du front. Dans le même temps, la forme de la jeune femme s'allongeait et s'amincissait, elle se mit debout en un mouvement vif et paisible à la fois, jeta encore un regard aussi bref que muet qui exprimait qu'elle le prenait à peu près pour un fou, et, avançant le pied, elle s'éloigna de sa démarche particulière le long des colonnes du vieux portique. Elle resta visible durant un instant, puis elle sembla disparaître dans le sol.

Il se tenait là le souffle coupé, comme abasourdi, mais il avait encore un vague sentiment de ce qui venait de se dérouler sous ses yeux : l'heure de midi propice aux fantômes était passée et sous la forme d'un papillon sorti des prairies d'asphodèles de l'Hadès, une messagère ailée était venue rappeler à la disparue qu'il fallait retourner là-bas. À cette impression s'en ajouta une autre qui n'était ni claire ni distincte : il savait que ce beau papillon des pays méditerranéens portait le nom de Cléopâtre, et c'est ainsi que s'était nommée la jeune épouse de Méléagre de Calydon, celle qui à la mort de son mari avait eu tant de peine qu'elle s'était offerte comme victime aux divinités souterraines.

De sa bouche un appel était parti au hasard en direction de celle qui s'éloignait : « Reviendras-tu ici demain à midi ? » Mais elle ne se retourna pas, ne donna aucune réponse et disparut au bout d'un instant derrière les colonnes dans un angle de l'*œcus*. Une seconde il fut traversé par la brusque impulsion de lui courir après. Mais la robe claire n'était plus visible nulle part : dans le flamboiement brûlant du soleil, autour de lui à l'intérieur de la *Casa di Meleagro* tout demeurait immobile et silencieux ; seul le cléopâtre voletait avec ses ailes d'or illuminées de rouge, décrivant mollement des cercles pour enfin se retrouver au-dessus de la masse épaisse des coquelicots en fleur.

À quel moment et de quelle façon il était revenu à l'*ingresso,* cela ne fut jamais inscrit dans la mémoire de Norbert Hanold ; il avait seulement le souvenir que d'un ton péremptoire son estomac avait exigé de se faire servir quelque chose à déjeuner au Diomède, malgré l'heure tardive, puis qu'il était parti pour se promener au hasard sur le premier chemin venu, qu'il s'était retrouvé sur le rivage du golfe au nord de Castellamare, qu'il s'était assis sur un bloc de lave, laissant le vent de la mer lui rafraîchir la tête jusqu'à ce que le soleil fût descendu à mi-chemin du monte Sant'Angelo, au-dessus de Sorrente, et du monte Epomeo, qui domine l'île d'Ischia. Mais malgré plusieurs heures passées ainsi là-bas au bord de l'eau, il n'avait retiré de la fraîcheur de l'air aucune amélioration de son état sur le plan moral : il revint à l'hôtel dans la même confusion que lorsqu'il en était parti. Il trouva les autres clients en train de s'occuper très sérieusement de la *cena,* se fit apporter dans un coin de la salle un *fiaschetto* de vin du Vésuve, se mit à examiner les visages des gens attablés et à écouter leurs conversations. À voir leur tête et à entendre leurs paroles, cependant, il lui apparut tout à fait évident qu'aucun d'entre eux n'avait rencontré une Pompéienne morte revenue à la vie pour quelques instants à l'heure de midi, ni n'avait parlé avec elle. Cela, de toute façon, il aurait pu se le dire d'entrée de jeu, puisque à cette heure-là ils se trouvaient rassemblés autour du *pranzo.* Pour quelle raison et dans quel but exactement, il ne put se l'expliquer, mais en tout état de cause, au bout d'un moment il passa chez le concurrent du Diomède, à l'hôtel Suisse, s'installa là aussi dans un coin devant une demi-bouteille de *Vesuvio,* puisqu'il fallait commander quelque chose, et se livra du regard et de l'oreille aux mêmes observations. Celles-ci aboutirent exactement au même résultat, si ce n'est qu'en supplément il eut l'assurance d'avoir fait connaissance visage après visage avec tous les visiteurs vivants provisoirement rassemblés à Pompéi. Cela représentait sans doute un accroissement de connaissance qu'il ne pouvait guère considérer comme un réel enrichissement, et pourtant il éprouva une certaine satisfaction à se rendre compte que dans les deux établissements il n'existait aucun client, quel que soit son sexe, avec lequel il n'eût été en relation personnelle, quoique unilatérale, en le regardant et en l'écoutant. Bien entendu, il n'avait pas eu l'esprit seulement effleuré par l'idée absurde qu'il pourrait peut-être rencontrer sa Gradiva dans une des deux hôtelleries, mais il aurait pu jurer sous la foi du serment qu'il ne séjournait, dans aucun des deux, personne, homme ou femme, qui présentât avec elle la moindre trace de ressemblance, même lointaine. Tout en faisant son enquête, il n'avait cessé de remplir son verre avec le *fiaschetto* et de le vider; lorsque insensiblement il fut venu à bout du flacon, il se leva et retourna au Diomède. À cette heure, le ciel était parsemé d'innombrables étoiles qui scintillaient et clignotaient, mais au lieu de rester immobiles comme à l'accoutumée, Norbert avait l'impression que Persée, Cassiopée et Andromède dansaient avec leurs voisins et voisines, s'inclinaient de-ci de-là, exécutaient lentement une ronde; et de même en dessous, à la surface de la

terre, lui sembla-t-il, les sombres silhouettes des arbres
et des bâtiments n'arrivaient pas à rester fixées au même
endroit. Cela pouvait bien n'avoir rien de surprenant
dans une région où depuis toujours le sol est instable :
la fournaise souterraine est toujours prête à entrer en
éruption, et elle laisse un peu de sa chaleur monter à
travers les ceps de vigne jusqu'aux grappes dont on tire
le *Vesuvio* – ce vin qui ne faisait pas partie des boissons
que Norbert Hanold était habitué à prendre en guise de
souper. Seulement, même s'il fallait inscrire au compte
du vin ce mouvement de valse qui s'emparait des choses,
il pouvait se souvenir que depuis le midi tous les objets
avaient déjà montré une tendance à tourbillonner un peu
autour de sa tête et il ne trouvait rien de nouveau à ce
surcroît d'agitation qui ne faisait que prolonger ce qu'il
avait constaté auparavant. Il monta à sa *camera* et resta
encore un petit moment à sa fenêtre ouverte, le regard
fixé sur le cône du Vésuve, dont à cette heure la cime
n'était pas surmontée d'un panache de fumée mais enveloppée d'un manteau de pourpre sombre qui laissait
onduler ses pans irréguliers. Puis le jeune archéologue se
déshabilla sans allumer la lumière et gagna sa couche.
Quand il s'allongea dessus, ce ne fut plus le lit du
Diomède mais un rouge champ de coquelicots en fleur,
qui se refermèrent sur lui comme un mol édredon chauffé
par le soleil. Son ennemie, la *musca domestica communis,*
avait rassemblé l'effectif d'une demi-centurie sur la paroi
au-dessus de sa tête, domptée par l'obscurité, hébétée
de sommeil – sauf une seule qui, poussée même dans
son abrutissement léthargique par sa fringale de martyriser, lui bourdonnait autour du nez. Mais il ne vit pas
en elle le Mal absolu, ni l'antique fléau millénaire de

l'humanité : elle voltigeait à droite et à gauche devant ses yeux fermés comme un cléopâtre rouge et or.

Quand le soleil du matin l'éveilla, activement secondé par les mouches, il ne put se rappeler avec netteté ce qui s'était passé plus avant dans la nuit autour de son lit en fait de merveilleuses métamorphoses ovidiennes. Pourtant, nul doute qu'un être mystique était resté assis auprès de lui, tissant continuellement un cocon de rêves, car il en sentait sa tête remplie et obnubilée, au point que toute possibilité de réfléchir lui était désespérément interdite : la seule chose dont il avait encore conscience, c'est qu'il devait se trouver ce jour-là à midi sonnant dans la Maison de Méléagre. Là-dessus, la crainte s'empara de lui qu'en voyant son visage les gardiens de l'*ingresso* ne refusent de le laisser entrer; il n'était de toute façon pas conseillé de s'installer à proximité de gens qui pourraient garder l'œil sur lui. Pour éviter ces embarras, un vieil habitué de Pompéi disposait d'un moyen, à vrai dire contraire au règlement mais il ne se trouvait pas moralement en état d'ordonner sa conduite selon les dispositions de la loi : comme le soir de son arrivée, il grimpa sur le vieux rempart et le suivit en contournant une bonne moitié de ce monde de ruines, jusqu'à la *Porta di Nola,* où il n'y avait ni gardes ni personne. Là il ne lui fut pas difficile de se laisser descendre à l'intérieur de la cité et il y pénétra, sans encombrer outre mesure sa conscience du remords d'avoir subtilisé à l'*amministrazione,* par son initiative égoïste, les deux lires de droits d'entrée, qu'il saurait bien rembourser plus tard d'une manière ou d'une autre. Il avait donc atteint sans être remarqué un secteur de la cité que jamais personne ne visitait, dépourvu d'intérêt, où les fouilles n'avaient pas été menées à terme; il s'assit à l'abri des regards dans un coin d'ombre et attendit, tirant de temps à autre sa montre pour se rendre compte de la durée écoulée. À un moment, son regard aperçut, brillant à une certaine distance, quelque chose de blanc argenté qui sortait des décombres, sans pouvoir déterminer de quoi il s'agissait à cause de l'incertitude de sa vision. Néanmoins il se mit automatiquement en marche pour aller voir : c'était une pousse fleurie d'asphodèle qui se dressait là, avec une haute hampe toute couverte de clochettes blanches; le vent avait dû apporter une graine de l'extérieur et la semer à cet endroit. C'était la fleur du monde souterrain, hautement symbolique et, ainsi que l'idée lui en vint, elle avait poussé là spécialement à son intention : il cassa la mince tige et la rapporta là où il s'était assis d'abord. Le soleil de mai chauffait de plus en plus, comme la veille, et approchait enfin du zénith; Norbert se mit en route en suivant la longue *strada di Nola*. Il y régnait un silence et une solitude de mort, de même que dans toutes les rues à cette heure; à l'autre bout, vers l'ouest, les visiteurs du matin se rassemblaient déjà et se pressaient en direction de la *Porta Marina* et des assiettes à soupe. On ne voyait que l'air vibrant, parcouru d'ondes brûlantes, ainsi que, solitaire, tenant sa branche d'asphodèle, la forme de Norbert Hanold qui évoquait celle d'un Hermès Psychopompe habillé à la mode actuelle, venu en expédition chercher l'âme d'un mort pour l'accompagner aux Enfers.

Sans s'en rendre compte, poussé par une sorte d'instinct, il se retrouva, ayant emprunté comme il le fallait la *strada della Fortuna*, dans la rue de Mercure et après avoir obliqué à droite, il arriva devant la *Casa di Meleagro*. Aussi dépourvus de vie que la veille, tels étaient le vestibule et l'atrium qui l'accueillirent, ainsi que le

péristyle dont les colonnes laissaient apercevoir les coquelicots flamboyants de l'*œcus*. Mais en y entrant, il ne
savait pas avec netteté s'il y était venu la veille ou deux
mille ans auparavant pour demander au propriétaire un
quelconque renseignement qui présentait le plus haut
intérêt scientifique pour l'archéologie : lequel, il n'était
certainement pas en mesure de le préciser, et d'ailleurs,
bien que cela fût contradictoire, la connaissance du monde
antique lui apparaissait comme la chose au monde la
plus vaine et la plus dépourvue d'intérêt. Il ne comprenait pas qu'un homme pût s'en occuper, alors que le
seul et unique objet auquel devaient s'attacher toute
étude et toute pensée était cette question : comment est
constituée l'enveloppe physique d'un être qui est à la
fois mort et vivant — et encore, pour ce dernier cas,
seulement durant l'heure de midi propice aux fantômes?
Ou alors ce n'était que le jour d'avant que cela s'était
produit, peut-être l'unique fois de chaque siècle, voire
de chaque millénaire, car il fut tout à coup envahi par
la certitude que son retour en ces lieux était inutile : il
ne rencontrerait pas celle qu'il cherchait, parce qu'elle
n'obtiendrait pas le droit de revenir avant un certain
temps, et pendant tout ce temps-là, lui-même aurait à
son tour cessé de faire partie du nombre des vivants, il
serait mort, enterré et oublié. Sur ce, alors que ses pas
l'avaient amené à hauteur de la paroi où Pâris attribuait
la pomme, son regard découvrit devant lui Gradiva,
exactement comme la veille, vêtue de la même façon,
assise entre les deux mêmes colonnes jaunes sur la même
marche. Mais il n'allait pas se laisser leurrer par une
fantasmagorie née de son propre esprit, il savait bien
que seule son imagination formait à nouveau devant ses
yeux l'apparence illusoire de ce que le jour précédent il

avait vu là dans la réalité. Pourtant il ne put s'empêcher de se livrer à la contemplation de cette image immatérielle qu'il avait lui-même créée; il s'arrêta et sans qu'il s'en rende compte ces mots lui vinrent à la bouche, avec un accent douloureux : « Oh, si seulement tu existais, si seulement tu étais encore vivante! »

Sa voix s'éteignit, et de nouveau il n'y eut plus parmi les restes de l'antique salon de réception que le silence, un silence total. Mais voici qu'une autre voix le rompit et résonna dans cet espace vide, disant : « Tu n'as pas envie de t'asseoir, toi aussi? Tu as l'air fatigué! »

Le cœur de Norbert Hanold cessa brusquement de battre. Cela faisait tant de choses qui s'offraient à la fois à sa conscience : une vision ne pouvait pas parler. Ou alors, une hallucination auditive exerçait sur lui ses effets trompeurs? L'œil hagard, il s'appuya d'une main à une colonne.

Alors la voix lança une nouvelle question – cette voix qui n'appartenait à personne d'autre qu'à Gradiva : « C'est pour moi que tu as apporté cette fleur blanche? » Un étourdissement le prit, il sentit que ses jambes ne le portaient plus, qu'il lui fallait s'asseoir, et il se laissa glisser le long de la colonne jusque sur la marche, en face d'elle. Elle tenait ses yeux clairs fixés sur son visage, mais avec dans le regard une autre expression que celle de la veille lorsqu'elle l'avait regardé en se levant pour s'en aller. Si ce regard avait exprimé l'agacement et la réprobation, tout cela s'était effacé, à croire qu'entre-temps elle avait changé de disposition d'esprit : une expression passionnée de curiosité ou un besoin profond de savoir s'étaient installés à la place. De même, elle paraissait s'être rendu compte que l'usage actuel de s'adresser aux gens en les vouvoyant n'était adapté ni à sa bouche ni au décor qui les entourait, car elle s'était cette fois servi du « tu », et ça lui était sorti des lèvres sans la moindre difficulté, comme quelque chose de tout naturel. En attendant, il était resté muet après sa dernière question, si bien qu'elle reprit la parole pour lui déclarer ceci : « Tu disais hier que tu m'avais appelée une fois, lorsque je m'étais couchée pour dormir, et qu'ensuite tu étais resté près de moi, que mon visage était devenu aussi blanc que du marbre : quand donc était-ce, où est-ce que cela se passait ? Je n'arrive pas à m'en souvenir et j'aimerais bien que tu me donnes des précisions. »

Norbert avait maintenant suffisamment retrouvé l'usage de la parole pour pouvoir répondre : « C'était la nuit où tu t'es assise sur les marches du temple d'Apollon, au Forum, et où la pluie de cendres du Vésuve t'a recouverte. – Ah oui... C'était il y a si longtemps. Oui, bien sûr, ça m'était sorti de l'esprit. Mais j'aurais bien dû penser qu'il s'agissait de quelque chose de ce genre. Lorsque tu me l'as dit hier, je ne m'y attendais pas du tout et je n'y étais pas assez préparée. Mais c'est arrivé, si je ne me trompe, il y aura bientôt deux mille ans ? Tu étais déjà en vie ? Tu me parais plus jeune que ça, à te voir ! »

Elle parlait d'un ton très sérieux, sauf à la fin où un léger sourire plein de charme joua sur ses lèvres. Norbert était plongé dans l'embarras et la perplexité ; il répliqua en bredouillant un peu : « En fait non, je ne crois pas que j'étais déjà en vie en 79... c'était peut-être... oui, c'est sûrement cette activité mentale qu'on appelle le rêve qui m'avait transporté en arrière à l'époque de la destruction de Pompéi... mais je t'ai reconnue au premier regard... »

La physionomie de la jeune femme assise là devant,

à peine à quelques pas de lui, exprima un étonnement manifeste, et elle répéta d'un ton surpris : « Tu m'as reconnue? Dans ton rêve? Et à quoi? — Tout de suite, à ta démarche si particulière. — C'est cela que tu avais remarqué? Je marche donc d'une manière particulière? »

Sa stupéfaction avait encore augmenté, cela se sentait; il répondit : « Oui, tu ne le savais pas? Tu marches d'une manière plus gracieuse que les autres femmes, au moins celles qui vivent aujourd'hui, toutes sans exception. Mais je t'ai aussi reconnue tout de suite à tout le reste, ta silhouette, ton visage, ta façon de te tenir et de t'habiller, tout concordait à la perfection avec ton bas-relief de Rome. — Ah! bon, répéta-t-elle sur le même ton que tout à l'heure, avec mon bas-relief de Rome... oui, je n'y avais pas pensé non plus, mais à vrai dire, en ce moment même, je ne vois pas très bien... comment est-il donc?... et c'est là-bas que tu l'as vu, comme ça? »

Alors il lui expliqua que la vue du bas-relief l'avait tellement frappé qu'il avait été tout content d'en trouver un moulage en Allemagne et de l'accrocher, cela faisait des années déjà, à un mur de son bureau. Il le regardait tous les jours, l'idée lui était venue que l'image devait représenter une jeune Pompéienne qui était dans sa ville natale en train de traverser une rue en marchant sur les dalles, et ce fameux rêve l'avait confirmé dans cette supposition. C'est même cela, il le savait à présent, qui l'avait amené à refaire le voyage jusqu'ici, pour voir s'il ne retrouverait pas sa trace. Et la veille à midi, alors qu'il se tenait à l'angle de la rue de Mercure, voilà que soudain, juste comme son image, elle était passée devant lui en marchant sur les dalles comme pour se rendre en face à la Maison d'Apollon. Puis elle avait continué un peu plus loin dans la rue, avait retraversé et disparu dans la Maison de Méléagre.

Elle approuva de la tête en disant : « Oui, j'avais l'intention de visiter la Maison d'Apollon, puis finalement je suis venue ici. » Il continua : « Alors je me suis rappelé le poète grec Méléagre et j'ai cru que tu étais une de ses descendantes et que tu... profitais de l'heure qui t'était accordée... pour revenir dans la maison de tes ancêtres. Mais quand je t'ai adressé la parole en grec, tu n'as pas compris ! – Ah, c'était du grec ? Non, je n'ai pas compris, ou bien c'est que je l'ai oublié. Mais quand tu es revenu tout à l'heure, je t'ai entendu dire quelque chose dans une langue que je comprends : tu souhaitais que quelqu'un puisse être encore ici et en vie ; seulement, ce que je n'ai pas bien saisi, c'est de qui tu voulais parler. »

Cela l'amena à répondre qu'en la voyant il avait cru qu'elle n'était pas un être réel, que c'était simplement son imagination qui lui fabriquait une fausse image à l'endroit où il l'avait rencontrée la veille. À ces mots elle sourit et approuva : « On dirait que tu as raison de faire attention à ton imagination débordante, et pourtant je n'ai pas eu besoin de te fréquenter bien longtemps pour en arriver à cette supposition ! » Mais elle quitta ce sujet et reprit : « Qu'est-ce qu'il y a dans ma démarche, dont tu parlais il y a un instant ? »

Il était évident qu'elle s'intéressait de plus en plus à cette question et que du coup elle y revenait ; Norbert laissa échapper ces mots : « Si je peux te demander quelque chose... » Là-dessus il s'arrêta, car il se rappela avec effroi que la veille elle s'était soudain levée et en allée quand il lui avait demandé de s'étendre encore une fois pour dormir sur la marche comme sur celle du

temple d'Apollon, et quelque chose lui remit obscurément dans l'esprit, par association, le regard qu'elle lui
avait jeté en partant. Mais pour l'instant elle gardait
dans les yeux, sans broncher, son expression sereine et
sympathique, et comme il continuait à se taire, elle
déclara : « C'est gentil de ta part, que je sois la personne
que tu souhaitais voir encore en vie. Si en contrepartie
il y a quelque chose que tu veuilles me demander, je
me ferai un plaisir de te rendre ce service. » Ces paroles
apaisèrent les craintes de Norbert et il reprit : « Je serais
très heureux de te regarder de près marcher comme sur
ton portrait... »

De bonne grâce, sans rien répondre, elle se leva et fit
quelques pas entre le mur et les colonnes. C'était exactement ce qui était gravé avec tant de fidélité dans la
mémoire du jeune homme, la démarche alerte et paisible
à la fois, où la plante du pied se relevait presque à la
verticale, mais pour la première fois en regardant ses
pieds au-dessous de sa robe, il réalisa qu'elle ne portait
pas des sandales, mais des chaussures claires en cuir fin,
de couleur sable. Quand elle revint près de lui et se
rassit en silence, sans réfléchir il mit la conversation sur
cette différence entre la manière dont elle était chaussée
et celle du bas-relief. Elle répliqua : « Le temps n'arrête
pas de tout changer, et actuellement les sandales ne se
font plus ; voilà pourquoi je mets des chaussures, cela
protège mieux de la poussière et de la pluie. Mais pour
quelle raison est-ce que tu m'as demandé de marcher
devant toi ? Qu'est-ce qu'il y a donc de spécial là-
dedans ? »

Ce souhait qu'elle exprimait encore une fois d'avoir
des détails sur ce point montrait qu'elle n'était pas du
tout dépourvue de curiosité féminine. Il lui expliqua

donc qu'il s'agissait de la position originale que prenait
en se relevant celui de ses pieds qui restait en arrière à
chaque pas et ajouta que dans son pays il avait passé
plusieurs semaines à observer dans la rue la façon de
marcher des femmes d'aujourd'hui. Mais il semblait bien
que cette belle manière de se mouvoir avait chez elles
totalement disparu, à l'exception peut-être d'un seul cas
où il avait eu l'impression de la retrouver. Hélas, il
n'avait pas pu aller s'en assurer à cause de la foule, et
il était bien possible qu'il ait été victime d'une illusion
d'optique, car il avait eu aussi le sentiment d'apercevoir
une ressemblance entre les traits du visage de cette
inconnue et ceux de Gradiva. « Dommage, répondit-elle,
car s'en assurer aurait sûrement été d'une grande portée
pour la science, et si tu avais pu y parvenir, tu n'aurais
peut-être pas eu besoin de te lancer dans ce long voyage
jusqu'ici. Mais de qui parles-tu au juste, qui est cette
Gradiva? – C'est ainsi que j'ai baptisé ton portrait pour
mon compte personnel, parce que j'ignorais ton véritable
nom... et je l'ignore encore maintenant! » Cette dernière
remarque, il l'avait ajoutée après un instant d'indécision,
et de son côté, sa bouche à elle hésita un peu avant
d'apporter la réponse impliquée par la question indi-
recte : « Je m'appelle Zoé. » Il laissa échapper sur un
ton peiné : « Ce nom te va bien, mais il sonne à mon
oreille comme une amère ironie, car Zoé veut dire " la
vie ". – Il faut accepter l'inéluctable, reprit-elle, et je me
suis depuis longtemps habituée à être morte. Mais pour
aujourd'hui, mon temps est accompli : tu m'as apporté
la fleur des tombeaux, qui doit m'accompagner sur le
chemin du retour, donne-la-moi! »

En se levant, elle tendit une main fine et il lui remit
la branche. d'asphodèle, mais en faisant bien attention

de ne pas toucher ses doigts. En prenant le rameau fleuri, elle lui dit : « Je te remercie. À celles qui ont davantage de chance, c'est des roses qu'on offre au printemps, mais moi, c'est la fleur de l'oubli que je dois recevoir de ta main. Il me sera encore permis demain de revenir ici passer cette heure. Si toi aussi ton chemin te conduit une nouvelle fois dans la Maison de Méléagre, nous pourrons comme aujourd'hui nous asseoir l'un en face de l'autre auprès des coquelicots. Sur le seuil de la maison il y a *Have,* et je te dis : *Have!* »

Elle se mit en marche et disparut comme la veille à l'angle du portique, comme si elle s'était enfoncée dans le sol. Tout redevint vide et muet, sauf que tout à coup, d'une certaine distance, lui parvint un bref son clair, presque aussitôt interrompu, qui évoquait l'appel rieur d'un oiseau survolant la cité en ruines. Il se retrouva seul, regardant sur la marche l'endroit où elle était assise et qu'elle avait abandonné : il y avait là quelque chose de blanc qui brillait, cela paraissait être la feuille de papyrus que Gradiva la veille avait tenue sur ses genoux et qu'elle avait aujourd'hui oublié de remporter. Mais quand il eut tendu une main timide pour s'en emparer, cela s'avéra être un petit carnet de croquis, avec des dessins au crayon de différents vestiges appartenant à quelques maisons de Pompéi. L'avant-dernier feuillet représentait la table aux griffons dans l'atrium de la *Casa di Meleagro,* et sur le dernier se trouvait le début d'une esquisse qui rendait la perspective de la rangée de colonnes du péristyle, avec au premier plan les coquelicots fleuris de l'*œcus.* À vrai dire il y avait quelque chose qui intriguait dans le fait que la morte ait pu ainsi dessiner dans un carnet de croquis comme on en fabrique de nos jours, tout comme dans le fait qu'elle ait exprimé ses pensées en langue allemande. Mais ce n'étaient là que des sources d'étonnement insignifiantes en comparaison de son retour à la vie, et manifestement elle utilisait l'heure de liberté qui lui était laissée à midi pour enregistrer et conserver l'image du décor dans lequel elle avait autrefois vécu, grâce à un talent artistique hors de l'ordinaire. Ses esquisses prouvaient qu'elle avait développé un sens de l'observation très affiné, ses paroles qu'elle ne manquait ni d'intelligence ni de subtilité; elle s'était probablement assise maintes fois à la vieille table aux griffons, si bien que c'était devenu pour elle un souvenir plus précieux que tous les autres.

Machinalement, Norbert, le carnet à la main, enfila le portique à son tour et découvrit dans le mur, à l'endroit où il faisait un coude, une étroite fente juste assez large pour laisser passer un corps d'une sveltesse exceptionnelle, qui pourrait ainsi gagner le bâtiment voisin et même, par là, le *vicolo del Fauno,* de l'autre côté de cette maison. Il fut aussitôt traversé par cette idée que Zoé-Gradiva ne s'enfonçait pas dans le sol – c'était même une absurdité en soi et il n'arrivait pas à concevoir comment il avait pu le croire –, mais qu'elle empruntait ce chemin pour retourner dans son sépulcre. Celui-ci devait se trouver dans l'avenue des Tombeaux, et il se précipita dans la rue de Mercure pour se dépêcher de gagner la Porte d'Herculanum. Seulement, quand il y parvint, essoufflé et trempé de sueur, c'était déjà trop tard : la large *strada dei Sepolcri* s'étendait déserte et éclatante de blancheur, encore qu'à son extrémité, derrière un rideau éblouissant de rayons lumineux, il eût cru voir une ombre légère se profiler de manière indécise devant la Villa de Diomède, avant de disparaître.

Norbert Hanold passa la seconde moitié de cette journée avec le sentiment que Pompéi en entier, ou tout au moins chacun des endroits où il se rendait, était enveloppé d'un nuage de brume. Ce n'était pas une brume comme d'habitude, grise, opaque, déprimante : plutôt, à sa manière, sereine, extrêmement bariolée de bleu, de rouge et de brun, mais surtout d'un blanc tirant légèrement sur le jaune joint à un blanc d'albâtre, et en outre traversée par les fils d'or que tissaient les rayons du soleil. L'œil n'y perdait rien de sa faculté de voir, pas plus que l'oreille de celle d'entendre : il n'y avait que la *pensée* qui ne pouvait la percer et cela suffisait à édifier un mur de nuages, dont l'efficacité rivalisait avec celle du brouillard le plus épais. Le jeune archéologue avait à peu près la même impression que si un *fiaschetto* de *Vesuvio* lui avait été donné à boire toutes les heures sans qu'il pût le voir et même tout simplement sans qu'il s'en aperçût, et que le vin avait lancé à l'intérieur de son crâne une sarabande qui ne s'arrêtait pas. Instinctivement il chercha à se délivrer de cette griserie en recourant à des palliatifs : d'une part il buvait de l'eau en quantité, d'autre part il se mit à courir ici ou là aussi souvent et aussi longtemps que possible. Sa compétence en médecine n'allait pas bien loin, mais elle lui permettait tout de même de diagnostiquer que cet état inconnu devait provenir d'une forte montée de sang à la tête, peut-être en liaison avec une accélération du rythme de son cœur : il sentait ce dernier s'emballer et cogner n'importe comment contre sa poitrine, chose qui jusque-là ne lui était absolument jamais arrivée. Au demeurant, ses pensées incapables de trouver le moyen de s'extérioriser ne restaient nullement en repos à l'intérieur de lui-même, ou plus exactement il n'y en avait qu'une qui, régnant sur les autres de manière despotique, se livrait à une activité incessante sans pour autant parvenir au moindre résultat. Cette pensée tournait en permanence autour de la question de savoir quelle pouvait être la constitution physique de Zoé-Gradiva : est-ce qu'elle possédait une réalité matérielle pendant qu'elle se trouvait dans la Maison de Méléagre ou bien est-ce que ce n'était que la reproduction illusoire de la nature qu'elle avait possédée jadis? Semblait confirmer la première interprétation, du point de vue anatomo-physiologico-biologique, le fait qu'elle disposait d'un organe pour parler et qu'elle pouvait tenir un crayon entre ses doigts. Mais en Norbert l'hypothèse qui prédominait était que s'il venait à la toucher, par exemple à poser sa main sur la sienne, il ne rencontrerait que du vide. Quelque chose le poussait avec une force singulière à s'en assurer, et parallèlement une extrême appréhension l'empêchait de faire autre chose qu'imaginer.

Car il devinait que la confirmation de chacune de ces deux possibilités avait de quoi inspirer de l'angoisse : si la main possédait une réalité matérielle, il serait rempli de terreur, et si elle était immatérielle, il en aurait beaucoup de chagrin.

Vainement préoccupé par un problème qui n'avait pas de solution, à moins de recourir à ce que les scientifiques appellent « une expérience », sa longue promenade sans but l'amena au cours de l'après-midi jusqu'aux premiers contreforts de la grande chaîne du monte Sant'Angelo, au sud par rapport à Pompéi; là, il fit la rencontre imprévue d'un monsieur d'un certain âge, à la barbe déjà grise, qui devait être un zoologiste ou un botaniste, à considérer l'attirail varié dont il était équipé et à le voir effectuer des recherches sur une pente brûlée de soleil. Quand il se fut approché à le toucher, l'homme tourna la tête vers lui, le regarda un instant d'un air surpris, puis déclara : « Est-ce que vous vous intéressez aussi au *Faraglionensis*? J'ai eu du mal à le croire, mais il me paraît tout à fait vraisemblable qu'il ne vit pas seulement sur les Faraglioni, au large de Capri : on peut aussi en trouver sur le continent, avec de la patience. Le moyen indiqué par mon collègue Eimer est réellement bon, je l'ai déjà employé à plusieurs reprises avec plein succès. S'il vous plaît, tenez-vous tranquille... »

Il se tut, avança précautionneusement de quelques pas sur le terrain en pente et, étendu sans bouger sur le sol, il plaça un minuscule nœud coulant fait d'un long brin d'herbe devant une mince fente de rocher hors de laquelle passait la petite tête à reflets bleutés d'un lézard aux aguets. Il resta ainsi couché sans faire le moindre mouvement, pendant que dans son dos Norbert Hanold reculait silencieusement et reprenait le chemin par où il était venu. Il avait le vague sentiment que le visage du chasseur de lézards s'était déjà trouvé une fois devant ses yeux, sans doute dans une des deux auberges, et la façon dont il lui avait adressé la parole le laissait également supposer. Tout de même, c'était à peine croyable que des gens puissent accomplir le long voyage jusqu'à Pompéi pour des motifs aussi extravagants; heureux d'avoir réussi à se débarrasser si vite du poseur de nœuds coulants et d'être de nouveau en mesure de consacrer sa capacité de réflexion au problème de la matérialité ou de l'immatérialité, il reprit le chemin du retour. Mais à un moment, un raccourci le fit dévier de la bonne route et l'amena, au lieu du côté ouest de la cité antique, à la pointe est de l'immense rempart; plongé dans ses

pensées, il ne se rendit compte de son erreur que lorsqu'il
fut arrivé tout près d'un bâtiment : ce n'était ni le
Diomède ni l'hôtel Suisse, tout en ayant l'air d'être une
hôtellerie ; il reconnut non loin de là les restes du grand
amphithéâtre de Pompéi, et il lui revint en mémoire,
de son précédent passage, que dans les environs de cette
dernière ruine on trouvait une troisième auberge, l'*Albergo del Sole* qui, surtout à cause de son éloignement
de la gare, n'était fréquentée que par un petit nombre
de clients et où lui-même n'avait jamais mis le pied. La
route lui avait donné très chaud ; en outre, le brouillard
qui tourbillonnait dans sa tête n'avait pas diminué : il
entra donc par la porte ouverte et se fit apporter son
remède spécifique contre la congestion cérébrale, une
bouteille d'eau gazeuse. La salle était vide, à l'exception
naturellement des milliers de mouches qui la visitaient
en pelotons serrés, et le patron, n'ayant rien à faire, lia
conversation avec ce client et saisit l'occasion de faire le
maximum de publicité à sa maison ainsi qu'aux trésors
exhumés qu'elle contenait. Il ressortait de son discours —
pas besoin de grands efforts pour le comprendre — qu'il
y avait dans les environs de Pompéi des gens chez qui,
parmi tous les objets proposés à la vente, pas un seul
n'était authentique, tous étaient des copies ; tandis que
lui, qui se contentait d'une collection modeste, il n'offrait
à ses clients que des pièces dont l'authenticité ne laissait
aucun doute. Car il se procurait exclusivement des choses
qui avaient été déterrées en sa présence, et, dans la suite
de son éloquent bavardage, il apparut qu'il était là en
personne lorsqu'on avait trouvé dans le secteur du Forum
le couple de jeunes amoureux qui, en comprenant que la
catastrophe était inévitable, s'étaient serrés dans les bras
l'un de l'autre pour attendre la mort. Norbert en avait

déjà entendu parler la fois précédente ; il avait haussé les épaules devant cette histoire comme devant l'affabulation d'un conteur qui se laisse aller à ses propres fantaisies et il recommença cette fois à l'intention de l'aubergiste lorsque celui-ci lui apporta comme pièce à conviction une fibule de métal que l'oxydation avait rongée et patinée de vert : c'est en sa présence, disait l'autre, qu'elle avait été ramassée dans la cendre près des restes de la jeune fille. Mais lorsque le client de l'Auberge du Soleil la tint dans sa propre main, son imagination exerça sur lui une telle pression que tout à coup, sans pousser davantage sa réflexion critique, il acquitta le prix d'Anglais qu'on lui demandait et avec son achat sortit en hâte de l'*Albergo del Sole*. Il se retourna pour jeter sur l'établissement un dernier regard et aperçut à une fenêtre ouverte de l'étage une hampe d'asphodèle couverte de fleurs blanches qui trempait dans un verre d'eau et qui inclinait la tête vers lui : sans avoir besoin pour cela d'un raisonnement déductif en forme, il fut intimement persuadé en voyant la fleur des tombeaux qu'elle lui fournissait un certificat d'authenticité pour sa nouvelle acquisition.

Celle-ci, il l'étudia attentivement en s'arrêtant une minute sur le chemin de la *Porta Marina* en longeant les remparts ; excité et inquiet à la fois, il était partagé entre deux sentiments. Ainsi donc, ce n'était pas un conte de fées, on avait bien exhumé non loin du Forum un jeune couple d'amoureux enlacés de cette façon, et c'était là-bas, près du temple d'Apollon, qu'il avait vu sa Gradiva se coucher pour son sommeil de mort. Mais ce n'était qu'un rêve, maintenant il en était sûr ; dans la réalité, elle pouvait très bien s'être un peu éloignée du Forum, avoir rencontré quelqu'un et l'avoir étreint pour mourir avec lui.

Cette fibule verte entre ses doigts faisait passer en lui l'intime conviction qu'elle avait appartenu à Zoé-Gradiva, dont elle avait tenu fermée la tunique à hauteur du cou. Mais alors, elle avait été l'aimée, la fiancée, peut-être la jeune épouse de celui avec qui elle avait voulu mourir.

Norbert Hanold eut soudain envie de jeter au loin cette fibule. Elle lui brûlait les doigts comme si elle était portée à l'incandescence. Ou plus exactement, elle lui causait la même douleur que lorsqu'il imaginait qu'il posait sa main sur celle de Gradiva et ne rencontrait que le vide.

Cependant la raison retrouva la haute main sur ses pensées, il cessa de se voir dominer sans réagir par son imagination. Même si c'était très vraisemblable, il n'était pas démontré de façon inattaquable que la fibule lui avait appartenu, ni que c'était elle qu'on avait trouvée entre les bras du jeune homme. Cette conclusion lui permit de respirer un peu plus librement, et lorsque à la tombée du crépuscule il atteignit le Diomède, la promenade longue de plusieurs heures jointe à une saine constitution lui avait redonné le besoin de nourritures toutes matérielles. Il dévora le souper quelque peu spartiate que, malgré son origine argienne, le Diomède avait adopté pour ses pensionnaires; il prit grand plaisir à ce repas et en même temps remarqua deux nouveaux clients arrivés dans le courant de l'après-midi. À les voir et à les entendre parler, on devinait qu'ils étaient allemands et que c'était Elle et Lui; ils avaient tous les deux des visages jeunes et ouverts, avec un air plein d'esprit; on avait du mal à saisir quel lien les unissait, mais Norbert déduisit d'une certaine ressemblance entre eux qu'ils étaient frère et sœur. En fait, les cheveux du jeune homme se distinguaient par leur blondeur de ceux brun clair de la jeune femme; en outre, elle portait à son corsage une rose rouge de Sorrente, dont la vue éveilla quelque chose dans le souvenir de celui qui les observait d'un coin de la salle, mais il ne réussit pas à savoir quoi avec précision. De tous les voyageurs qu'il avait rencontrés jusqu'ici, ces deux-là étaient les premiers à lui faire une impression sympathique. Ils discutaient entre eux, devant un *fiaschetto,* ni assez fort pour qu'on distingue leurs paroles ni en chuchotant avec affectation, abordant visiblement des sujets tantôt sérieux, tantôt plaisants, car par moments il leur venait aux lèvres à tous les deux en même temps un discret sourire qui leur allait bien et qui donnait envie de participer à leur conversation. Ou qui aurait peut-être donné cette envie à Norbert s'il les avait rencontrés deux jours plus tôt dans cette pièce à peu près uniquement peuplée d'Anglo-Américains. Mais il sentait que ce qui se passait dans sa tête formait un contraste trop violent avec la joyeuse spontanéité de ce couple sur qui ne planait pas l'ombre du moindre nuage et qui, à l'évidence, loin de passer son temps à approfondir la réalité ontologique d'une femme morte depuis deux mille ans, jouissait de l'heure présente sans se fatiguer à questionner les énigmes de l'existence. Il n'était pas dans des dispositions en accord avec celles-là : d'un côté il avait conscience qu'il serait pour eux un tiers parfaitement superflu, d'autre part à l'inverse il avait peur de se risquer à faire leur connaissance parce qu'il avait obscurément l'impression que leurs yeux pleins de clarté et de gaieté pourraient percer la paroi de son front pour lire dans ses pensées et que leur expression dirait alors qu'ils ne lui trouvaient pas une santé mentale parfaite. C'est pourquoi il monta dans sa chambre, passa un moment à la fenêtre comme la veille à contempler au loin le manteau de pourpre nocturne du Vésuve, puis se coucha pour dormir. Épuisé, il ne mit pas longtemps à s'endormir, et il fit cette fois un rêve remarquablement absurde. Quelque part au soleil était assise Gradiva, en train de faire avec un brin d'herbe un nœud coulant afin d'attraper un lézard, et elle disait en même temps : « S'il te plaît, tiens-toi tranquille, ma collègue a raison, le moyen est réellement bon, et elle l'a employé avec plein succès... »

À l'intérieur de son rêve, Norbert Hanold eut conscience que cela était en fait d'une totale stupidité et il se tournait et retournait pour s'en débarrasser. Il y réussit enfin, grâce à un oiseau invisible qui lança un bref appel faisant penser à un rire et qui emporta le lézard dans son bec, après quoi il ne resta plus rien.

—En s'éveillant, il se rappela avoir entendu dans la nuit une voix disant qu'on offrait des roses au printemps, ou, à dire vrai, c'est par les yeux que cela lui revint en mémoire, lorsque son regard plongeant par la fenêtre tomba sur un buisson tout illuminé de fleurs rouges. Elles étaient de la même espèce que celle que la jeune dame portait à son corsage, et quand il fut descendu, il en cueillit spontanément quelques-unes et les respira. Il devait bien y avoir, de fait, quelque chose de spécial dans les roses de Sorrente, car leur parfum lui parut non seulement merveilleux, mais totalement inconnu et étrange : ce fut comme si elles exerçaient sur son esprit un effet pour ainsi dire libérateur. Du moins le débarrassèrent-elles de son anxiété de la veille devant les gardiens de l'entrée : pour gagner l'intérieur de Pompéi, il emprunta l'*ingresso* en pleine légalité, acquitta sous un

prétexte le double de la somme demandée pour la visite
et s'engagea sans plus tarder sur les chemins qui l'éloi-
gnaient du voisinage des autres touristes. Il avait emporté
le petit carnet de croquis de la *Casa di Meleagro,* en
même temps que la fibule verte et les roses rouges, dont
le parfum, cependant, lui avait fait oublier de prendre
le petit déjeuner; ses pensées, d'ailleurs, ne touchaient
pas au moment présent, elles étaient exclusivement bra-
quées sur l'heure de midi. Avant d'y arriver, toutefois,
il y avait encore beaucoup de temps à passer, et c'est
pourquoi il pénétrait tantôt dans une maison, tantôt dans
une autre, dans toutes celles dont il lui semblait probable
que Gradiva aussi avait pu s'y rendre jadis ou qu'elle le
faisait encore maintenant de temps en temps – car son
hypothèse, selon laquelle cela ne lui était possible que
vers midi, s'était mise à vaciller : peut-être avait-elle
également cette liberté à d'autres heures de la journée,
et, si ça se trouve, même la nuit par clair de lune. Ce
qui, par un véritable miracle, confirmait en lui cette
conjecture, c'étaient les roses quand il les tenait sous son
nez tout en respirant, mais sa réflexion vint obligeamment
recouper cette manière de voir et assurer sa conviction.
En effet il pouvait témoigner en ce qui le concernait
qu'il ne persistait jamais dans une opinion préconçue,
qu'au contraire il laissait se développer toute objection
raisonnable; or, cette fois-ci, c'en était bien une comme
ça qu'il se faisait à lui-même, une objection à la fois
logique et éminemment souhaitable. La seule question
qui se posait était de savoir si lors d'une rencontre avec
elle d'autres auraient les yeux capables de la percevoir
comme une apparition matérielle, ou bien s'il n'y avait
que les siens qui détenaient ce pouvoir. On ne pouvait
écarter la première hypothèse, elle avait même la vrai-

semblance pour elle et transformait le désirable en son contraire : elle lui ôtait tout courage et toute sérénité. Car l'idée que d'autres pourraient aussi lui parler, s'asseoir près d'elle pour bavarder avec elle, cette idée le mettait hors de lui : lui seul en avait le droit, ou en tout cas lui le premier, car il avait découvert cette Gradiva que personne n'avait seulement remarquée, il l'avait contemplée chaque jour, il l'avait accueillie dans l'intimité de son être, il lui avait dans une certaine mesure insufflé de sa propre force vitale, et c'était exactement comme s'il lui avait procuré par là un renouveau de vie que sans lui elle n'aurait jamais possédé. De ce fait, il se sentait un droit qu'il était seul à pouvoir revendiquer, qu'il avait le pouvoir de refuser même de partager avec quiconque.

La journée qui commençait était encore plus chaude que les deux précédentes; le soleil semblait ce jour-là s'être engagé à accomplir une performance exceptionnelle et faisait regretter, non seulement du point de vue archéologique mais aussi d'un point de vue pratique, que l'aqueduc de Pompéi fût interrompu et à sec depuis deux mille ans. De place en place, les fontaines des rues rappelaient qu'il y en avait eu un et témoignaient du même coup qu'il avait été utilisé par les passants assoiffés qui ne faisaient pas de manières. En se penchant vers le tuyau d'arrivée d'eau, actuellement disparu, ils s'appuyaient d'une main sur le rebord de marbre du bassin et celui-ci, de même que la pierre finit par être transpercée à force de gouttes d'eau, avait vu peu à peu une cuvette se creuser à cet endroit; Norbert s'en fit la remarque à l'angle de la *strada della Fortuna* et se prit à imaginer à partir de là que la main de Zoé-Gradiva avait pu jadis s'appuyer là elle aussi de la même façon : d'un geste

involontaire, sa propre main vint se loger dans le petit
évidement. Mais il rejeta aussitôt cette hypothèse, il se
reprocha même d'avoir osé la faire : elle ne s'accordait
nullement avec la personne et la manière de faire d'une
jeune Pompéienne appartenant à un milieu raffiné. Il y
avait quelque chose de dégradant dans l'idée qu'elle
avait dû ainsi se plier en deux pour mettre ses lèvres au
même tuyau auquel la plèbe buvait d'une bouche gros-
sière. Un être possédant plus de « chic », au sens noble
du terme, qu'elle en manifestait dans sa façon de se tenir
et d'agir, il n'avait jamais eu l'occasion d'en voir; il
pensa avec terreur qu'elle pourrait deviner qu'il avait eu
cette idée incroyablement absurde. Car il y avait dans
ses yeux une rare pénétration : à deux ou trois reprises
au cours de leurs rencontres, il avait éprouvé le sentiment
qu'ils cherchaient à découvrir un moyen d'entrer à l'intérieur de son esprit afin de l'explorer comme une sonde
d'acier étincelant. Il devait donc faire extrêmement attention à ne rien leur offrir de stupide dans le cours de ses
pensées.

Toujours est-il qu'il restait encore une heure avant
d'arriver à midi, et pour patienter jusque-là il traversa
la rue et pénétra dans la *Casa del Fauno*, la plus vaste
et la plus somptueuse des maisons qu'on eût dégagées.
Unique en son genre, elle possédait un double atrium,
et l'on voyait dans le plus important des deux, au milieu
de l'*impluvium*, le socle vide sur lequel s'était tenue la
célèbre statue du faune dansant, à qui la maison devait
son nom. Mais en Norbert ne se manifesta pas le moindre
regret de ne plus trouver là ce chef-d'œuvre tellement
prisé par les savants, qui avait été transporté à Naples
au *Museo Nazionale* en même temps que la mosaïque
représentant la Bataille d'Alexandre. Il ne voyait pas plus

loin, il ne souhaitait rien de plus que de faire passer le temps, et dans ce but il errait au hasard parmi ces vastes constructions. Derrière le péristyle s'ouvrait un large espace entouré de nombreuses colonnes : c'était soit une autre version du péristyle, soit une sorte de *xystos,* de jardin d'agrément ; du moins donnait-il cette impression sur le moment, car tout comme l'*œcus* de la *Casa di Meleagro* il était entièrement tapissé de coquelicots en fleur. L'esprit absent, notre visiteur parcourait ces lieux déserts et silencieux.

Puis tout à coup, stupéfait, il s'immobilisa : il n'était plus seul, son regard apercevait à une certaine distance deux formes, qui d'abord donnaient l'impression de n'en faire qu'une tellement elles se tenaient serrées l'une contre l'autre. Elles ne lui prêtèrent aucune attention, car elles étaient entièrement occupées l'une de l'autre et dans leur coin, parmi les colonnes, avaient pu se croire à l'abri des éventuels regards. Elles se tenaient mutuellement enlacées, s'embrassaient sur la bouche, et le spectateur imprévu s'aperçut, à sa grande surprise, que c'étaient le jeune monsieur et la jeune dame que, la veille au soir, pour la première fois de son voyage, il avait eu plaisir à rencontrer. Pour des frère et sœur, pourtant, leur comportement actuel, l'étreinte et le baiser, lui parurent se prolonger outre mesure : il s'agissait donc d'un couple d'amoureux, probablement des jeunes mariés, encore un Auguste et une Grete !

Chose étonnante en vérité, ces deux dernières formules ne vinrent pas immédiatement à l'esprit de Norbert, et la scène ne lui fit pas une impression ridicule ou repoussante ; elle accrut plutôt sa sympathie à l'égard du couple. Ce qu'ils faisaient lui apparut, au fond, tellement naturel et compréhensible qu'il resta là le regard attaché sur ce

tableau vivant, en ouvrant des yeux tout ronds, exactement comme il l'aurait fait pour la plus admirable des
œuvres d'art antiques, et il aurait volontiers prolongé
davantage cette contemplation. Mais il avait le sentiment
d'avoir pénétré sans en avoir le droit dans un lieu consacré
et d'être sur le point de troubler les pratiques d'un culte
secret. À l'idée qu'il pourrait être découvert ici dans de
telles conditions, il fut rempli de terreur, se retourna en
hâte, repartit sans bruit sur la pointe des pieds et, dès
qu'il fut hors de portée d'être entendu, il sortit en
courant, le souffle court et le cœur battant, dans le *vicolo
del Fauno*.

Quand il parvint devant la Maison de Méléagre, il
n'était pas sûr qu'il fût déjà midi et ne songea pas à
consulter sa montre pour s'en assurer : il passa un moment
debout devant la porte, indécis, regardant à ses pieds le
Have du seuil. Un sentiment de peur le retenait de
pénétrer à l'intérieur : il avait peur bizarrement, à la fois
de ne pas l'y trouver et de l'y rencontrer, car depuis
quelques minutes l'idée s'était imposée à son esprit que
dans le premier cas, c'est qu'elle se serait arrêtée ailleurs
avec un jeune homme, dans le second, que sur la marche
entre les colonnes il y aurait pour lui tenir compagnie
ledit jeune homme. Contre ce dernier il ressentit une
haine encore bien plus puissante que contre la race entière
des mouches domestiques communes : il n'avait jamais
pensé jusque-là être capable d'éprouver une émotion aussi
violente. Le duel, qu'il avait toujours regardé comme le
comble de la stupidité, lui apparut soudain sous un autre
éclairage : cette fois, c'était un droit naturel auquel
l'homme atteint dans ses droits les plus inaliénables,

auquel l'homme mortellement blessé pouvait recourir comme au seul moyen à sa portée d'obtenir satisfaction par des représailles ou de quitter une existence désormais dénuée d'intérêt. Alors, d'un mouvement brusque, il mit le pied sur le seuil : il voulait provoquer l'insolent personnage et voulait aussi — cela s'imposait à lui avec plus de force encore si c'est possible — lui dire à elle sans avoir peur des mots qu'il l'avait crue un être meilleur, plus noble, incapable de telles fréquentations...

Il était plein jusqu'au bord des lèvres de ces projets de révolte, si bien qu'il lui sortit de la bouche des mots qu'en l'occurrence il n'y avait pas la moindre raison de prononcer; quand il eut franchi comme un ouragan la distance qui le séparait de l'*œcus*, il s'exclama rageusement : « Es-tu seule ? », et pourtant son premier coup d'œil ne lui avait pas permis de douter un instant que Gradiva était exactement aussi seule que les deux jours précédents, assise là sur sa marche. Elle lui jeta un regard étonné et répliqua : « Qui donc voudrait rester ici à midi passé ? A cette heure-ci, tout le monde a faim et passe à table. Et à mon point de vue, la nature a en cela bien fait les choses ! »

L'excitation débordante de Norbert ne pouvait s'apaiser d'un seul coup; elle l'entraîna plus loin, et bon gré mal gré il laissa échapper les soupçons qui venaient de s'emparer de lui là dehors avec la force d'une certitude, puis il ajouta, ce qui n'allait pas sans quelque absurdité, qu'en tout état de cause il ne voyait rien qui l'oblige à voir les choses autrement. Elle garda ses yeux clairs fixés sur son visage jusqu'à ce qu'il ait fini de parler, et tout à coup elle fit le geste de se frapper le front du doigt et dit : « Tu... » puis elle reprit : « C'est déjà bien, il me semble, que je ne bouge pas d'ici quoique je doive attendre ton arrivée jusqu'à cette heure tardive. Mais finalement l'endroit ne me déplaît pas, et je vois que tu m'as rapporté mon carnet de croquis que j'avais oublié hier. Merci pour cette délicate attention. Tu ne veux pas me le donner?»

Cette dernière question n'était pas sans fondement, car il ne se préparait nullement à le faire et restait planté immobile à la même place. L'idée se faisait jour en lui qu'il avait conçu et développé dans son imagination une monstrueuse sottise, et qu'en plus il venait de l'extérioriser en paroles; pour essayer dans la mesure du possible de la réparer, il s'avança précipitamment, tendit le carnet à Gradiva et s'assit machinalement à côté d'elle sur la marche. Jetant un regard sur sa main, elle lui dit : « Tu as l'air d'être un amateur de roses! » À ces mots il réalisa ce qui l'avait amené à en cueillir et à les apporter avec lui, et il répondit : «Oui, mais elles ne sont pas pour moi... tu disais hier... et quelqu'un m'a dit cette nuit... qu'on en offre au printemps... » Pendant un instant, visiblement elle réfléchit, puis finit par déclarer : « Ah oui... Je me rappelle... je voulais dire qu'aux autres on offrait des roses et non des asphodèles. C'est gentil à toi; on dirait que l'opinion que tu as de moi s'est un peu améliorée. » Elle tendit la main pour prendre les fleurs rouges et ils les lui remit en disant : « J'ai d'abord cru que tu ne pouvais te trouver là qu'à midi, mais il m'est apparu que selon toute vraisemblance tu le pouvais aussi à d'autres moments... et cela me rend très heureux.

— Pourquoi est-ce que cela te rend heureux? » Son visage exprimait l'incompréhension, mais elle ne put empêcher ses lèvres d'esquisser un mouvement, à peine perceptible. Lui, tout décontenancé, répondit : « C'est bon d'être en vie... cela ne m'était encore jamais venu...

je voudrais te demander encore quelque chose... » Il
fouilla dans la poche intérieure de sa veste et ajouta, en
tirant l'objet qu'il y avait pris : « Est-ce que cette fibule
t'a autrefois appartenu? » Elle approcha un peu le visage
pour regarder, puis elle secoua la tête : « Non, je n'arrive
pas à me rappeler. Mais du point de vue chronologique,
cela n'a sûrement rien d'impossible, car elle semble bien
remonter à cette époque-là. Tu l'as peut-être trouvée au
Soleil? Cette belle patine verte, j'ai l'impression de l'avoir
déjà vue. » Sans réfléchir, il répéta : « Au soleil? Pourquoi
au soleil? — *Sole*, c'est le nom, ici... qui donne le jour à
bien des choses de ce genre! Mais est-ce que cette fibule
n'a pas appartenu à une jeune demoiselle qui doit être
morte tragiquement avec un compagnon, si je me rappelle
bien, aux alentours du Forum... — Oui, il la tenait dans
ses bras... — Ah bon! »

Ces deux petits mots étaient manifestement une exclamation favorite dans la bouche de Gradiva, qui resta un
instant sans rien dire, puis ajouta : « Voilà pourquoi tu
as pensé que j'avais pu la porter. Et est-ce que cela ne
t'aurait pas... comment as-tu dit tout à l'heure? rendu
malheureux? » Il ne pouvait cacher qu'il se sentait extraordinairement soulagé, et cela s'entendit clairement dans
sa réponse : « Cela me fait très plaisir... Parce que d'imaginer que la fibule t'avait appartenu me causait... un
vertige dans la tête! — On dirait qu'il y a chez toi une
tendance à éprouver ce genre d'ennuis. Peut-être que ce
matin tu as oublié de prendre ton petit déjeuner? Cela
ne peut que renforcer les accès de ce genre; moi, je n'y
suis pas sujette, mais je prends mes précautions parce
que j'adore passer ici l'heure de midi. Si je peux t'aider
un peu à te sortir la tête de cet état désagréable en
partageant avec toi mes provisions... »

Elle sortit de la poche de sa robe un petit pain blanc enveloppé dans du papier de soie, le partagea en deux, lui en mit une moitié dans la main et commença à dévorer l'autre avec un appétit évident. De ce fait, on voyait ses dents, qu'elle avait très jolies et sans défaut, étinceler entre ses lèvres comme des perles brillantes, et de surcroît on entendait le léger craquement qu'elles produisaient en s'enfonçant dans la croûte : l'impression qu'on en retirait, c'est qu'elles n'étaient pas des apparences sans substance, mais qu'elles étaient constituées d'une matière bien réelle. En attendant, elle avait eu tout à fait raison avec son hypothèse concernant le petit déjeuner qu'il avait négligé de prendre : machinalement, il se mit à manger et en ressentit les effets bénéfiques en ce qui concerne la clarification de ses idées. Ils restèrent ainsi un moment sans parler, se livrant en silence à la même occupation réconfortante, jusqu'à ce que Gradiva déclare : « J'ai comme l'impression qu'une fois déjà nous avons mangé notre pain ensemble, il y a deux mille ans. Tu ne te rappelles pas ? »

Il ne se rappelait pas, mais il s'étonna à ce moment-là de l'entendre parler d'un passé aussi infiniment éloigné, car, grâce à la nourriture, sa tête avait retrouvé ses moyens et cela lui avait remis la cervelle à l'endroit. L'idée qu'à une époque si reculée elle ait déjà pu se promener ici, dans Pompéi, cette idée ne voulait plus cadrer avec la saine raison : tout en elle, dans le présent, ne lui paraissait guère dépasser l'âge de vingt ans. Les contours et le teint de son visage, les cheveux bruns ondulés si joliment coiffés, les dents impeccables, et aussi la robe claire que ne déparait pas l'ombre d'une tache, imaginer que tout cela avait passé d'innombrables années dans la cendre devenue pierre ponce ne tenait absolument pas debout.

Norbert fut envahi d'un sentiment de doute, se demandant s'il était vraiment assis là bien éveillé ou si, plus
vraisemblablement, après s'être endormi dans son cabinet
de travail en contemplant l'image de sa Gradiva, il
n'avait pas rêvé qu'il était parti pour Pompéi où il l'avait
rencontrée comme quelqu'un d'encore vivant, et s'il ne
continuait pas à rêver qu'il était de cette façon assis près
d'elle dans la *Casa di Meleagro*. Qu'elle soit encore en
vie ou qu'elle ait ressuscité, en effet, cela ne pouvait
sûrement que se passer dans un rêve – contre une telle
possibilité, les lois de la nature faisaient obstacle...

Il était tout de même étrange qu'elle ait un instant
auparavant déclaré avoir une fois déjà partagé son pain
avec lui il y avait de cela deux mille ans. D'une chose
pareille il n'avait aucune connaissance, et même dans le
rêve il n'arrivait pas à en trouver trace...

Elle avait posé sa main gauche sur ses genoux – une
main paisible aux doigts effilés, qui possédait la clef
permettant de résoudre l'énigme insoluble qui l'habitait,
lui...

Les mouches domestiques communes poussaient l'im-
pudence jusqu'à oser pénétrer dans l'*œcus* de la *Casa di
Meleagro* : sur une colonne jaune en face de lui, il en
voyait une fureter à droite et à gauche, poussée par la
voracité, selon cette habitude méprisable qu'elles ont; et
voilà qu'elle venait lui bourdonner au ras du nez!

De toute façon, il fallait qu'il réponde d'une manière
ou d'une autre à ce qu'elle lui avait demandé, s'il ne se
souvenait pas d'avoir déjà mangé un morceau de pain
autrefois en sa compagnie, mais brusquement sa bouche
s'ouvrit pour lancer : « Est-ce que les mouches dans le
passé étaient déjà aussi diaboliques qu'aujourd'hui, est-
ce qu'elles t'ont martyrisée au point de te dégoûter de

la vie? » Elle lui jeta un regard empreint d'une surprise difficile à imaginer et repartit : « Les mouches? Tu ne crois pas que tu en as déjà une dans la tête, de mouche? »

Mais soudain le monstre noir vint se poser sur sa main et elle ne faisait pas le moindre geste montrant qu'elle s'en était aperçue. À cette vue, deux impulsions brutales se mêlèrent chez le jeune archéologue pour l'amener à un seul et même acte où elles se conjuguèrent : sa propre main s'éleva tout à coup et s'abattit en une claque dénuée de douceur sur la mouche et sur la main de sa voisine.

Ce geste fut à l'instant même une révélation, stupeur, jubilation et terreur mêlées. Le coup qu'il avait porté n'avait pas traversé le vide, n'avait pas rencontré quelque chose de dur et de froid, mais bien une main humaine, indubitablement réelle, chaude, vivante, qui resta un bon moment immobile sous la sienne, submergée par un ahurissement impossible à déguiser. Puis la main se retira d'une secousse, et la bouche de sa propriétaire déclara : « Il n'y a vraiment aucun doute, tu es fou, Norbert Hanold! »

Ce nom, qu'il n'avait confié à personne à Pompéi, était venu aux lèvres de Gradiva avec tellement de facilité, d'assurance et de netteté, que celui qu'il désignait se leva d'un bond de sa marche, encore plus terrorisé. À ce moment résonnèrent dans le portique des pas qu'ils n'avaient pas remarqués et qui étaient déjà tout proches : devant ses yeux effarés émergèrent de l'ombre les visages du couple d'amoureux qui venait de la *Casa del Fauno,* et la jeune dame s'écria en manifestant une extrême surprise : « Zoé! Toi aussi à Pompéi? Et aussi en voyage de noces? Et tu ne m'en as même pas écrit un mot! »

Norbert se retrouva dehors, devant la Maison de Méléagre dans la *strada di Mercurio*. Comment il était arrivé là, il n'en avait pas la moindre idée, ce devait être par réflexe, et sans doute poussé par une subite intuition : c'était la seule chose à faire pour ne pas présenter une figure trop ridicule, d'abord au jeune couple, ensuite, à plus forte raison, à celle qui avait fait l'objet de cette amicale salutation au moment où elle venait de l'appeler, lui, par ses nom et prénom, et par-dessus tout à ses propres yeux. Car s'il n'y voyait pas très clair dans tout cela, quelque chose au moins s'était imposé à lui comme un fait inattaquable : Gradiva, qui possédait une main humaine, non pas fantomatique mais matériellement réelle, une main toute chaude, Gradiva avait exprimé une vérité indubitable en disant qu'il avait vécu les deux derniers jours dans un état de folie complète. Et cela ne s'était pas produit dans la déraison du rêve mais avec les yeux et les oreilles en état de fonctionner, tels que les hommes les ont reçus de la nature, prévus pour être utilisés à bon escient. Comment les choses avaient pu en arriver là, cela comme tout le reste dépassait sa compréhension : il avait seulement l'obscure impression que ce qui avait joué un rôle dans l'affaire, c'était un sixième sens qui avait trouvé moyen de prendre le dessus et lui avait fait transformer en son contraire tout ce qui normalement semblait avoir du prix. Pour consacrer un temps de réflexion à ce phénomène et parvenir au moins à une conclusion un peu positive, il lui fallait absolument trouver un endroit écarté où aucun visiteur ne viendrait le déranger; mais tout d'abord, quelque chose le poussait à s'éloigner au plus vite, loin des yeux, des oreilles et des autres sens qui savaient utiliser les facultés naturelles conformément à leur mode d'emploi spécifique.

Quant à la propriétaire de cette chaude main, elle avait elle aussi été surprise de toute façon par cette visite inattendue et peu prévisible à l'heure de midi dans la *Casa di Meleagro*; et cela, d'après la toute première expression de sa physionomie, ne lui avait pas tellement fait plaisir. Mais un instant après, son visage ouvert n'en gardait pas la moindre trace; elle s'était donc levée d'un bond, était allée à la rencontre de la jeune dame et avait répliqué en lui prenant la main : « Voilà qui est vraiment sympathique, Gisa, le hasard fait quelquefois bien les choses! Alors, c'est là celui qui est ton mari depuis quinze jours? Je suis ravie de faire sa connaissance, et si j'en juge par votre air à tous les deux, je n'ai pas besoin d'avoir de regret et de transformer mes vœux de bonheur en condoléances! D'ailleurs, les couples pour qui il faudrait le faire sont d'habitude attablés à Pompéi, à cette heure-ci! Vous logez probablement à côté de l'*ingresso,* j'irai vous voir cet après-midi. Non, je ne t'ai rien écrit; tu ne m'en voudras pas, car tu vois, ma main ne jouit pas comme la tienne du privilège de porter une alliance. L'air d'ici stimule de façon extraordinaire l'imagination, je m'en rends compte à te voir; mais c'est mieux, en tout cas, que s'il l'éteignait. Le jeune homme qui vient de partir est même atteint d'une extravagante fantasmagorie, on dirait : il croit qu'une mouche lui bourdonne dans la tête! Allons, chacun de nous a bien son petit insecte! Obligatoirement, j'ai des notions d'entomologie et cela me permet d'être de quelque utilité en pareille circonstance. Mon père et moi habitons au *Sole,* il lui a pris à lui aussi une lubie, et en plus la fantaisie bien inspirée de m'amener ici avec lui à condition que je me prenne en main pour m'occuper dans Pompéi et que je ne vienne pas lui demander quoi que ce soit. Je me

disais que j'arriverais bien toute seule à déterrer quelque
chose d'intéressant ici.-En vérité, à aucun moment je
n'avais compté sur la trouvaille que j'ai faite – je veux
dire la chance de tomber sur toi, Gisa. Mais je passe
mon temps à jacasser, comme cela se fait avec une vieille
amie – encore que nous ne soyons pas encore très vieilles,
il s'en faut! Vers deux heures, mon père quitte le soleil
pour la table du Soleil, alors je dois aller tenir compagnie
à son appétit et il faut que je renonce maintenant à la
tienne, malheureusement! Vous aurez ainsi la chance de
visiter sans moi la *Casa di Meleagro. Favorisca, signor*!
A rivederci, Gisetta! Voilà tout ce que j'ai appris en
italien jusqu'ici, et il n'est vraiment pas nécessaire d'en
savoir davantage; ce dont on a besoin en plus de ça, on
le fabrique soi-même... non, je vous en prie, *senza compli-
menti*! »

La dernière requête de ce long discours visait un geste
de politesse du jeune époux qui semblait vouloir la
raccompagner. Elle s'était exprimée avec une extrême
vivacité, un naturel parfait et sur le ton accordé aux
circonstances de cette rencontre imprévue avec une amie
très proche; mais l'extraordinaire rapidité de son débit
confirmait bien l'urgence dont elle avait parlé, qui lui
interdisait de rester là plus longtemps. Aussi ne s'était-
il guère écoulé plus de quelques minutes depuis le départ
précipité de Norbert Hanold quand, à son tour, elle
sortit de la Maison de Méléagre dans la *strada di Mercurio*. Celle-ci, comme toujours à cette heure-là, ne montrait d'autre signe de vie que, par endroits, un lézard
qui remuait la queue, et durant quelques instants la
jeune fille resta plantée au bord de la chaussée, visiblement absorbée dans une intense réflexion. Puis elle se
dirigea vivement, en prenant au plus court, vers la Porte

d'Herculanum, traversa au croisement du *vicolo di Mercurio* et de la *strada di Sallustio* en empruntant les dalles piétonnières de son pas alerte et gracieux de Gradiva, et parvint ainsi sans tarder à la *Porta Ercolanese,* dont les deux murs latéraux sont restés debout. Au-delà de la porte, en contrebas, s'étendait la longue avenue des Tombeaux, mais elle n'avait plus ce blanc aveuglant ni cette auréole de rayons resplendissants qu'elle avait vingt-quatre heures auparavant lorsque le jeune archéologue, exactement du même endroit, l'avait parcourue d'un regard scrutateur. Ce jour-là, le soleil semblait dominé par le sentiment que durant la matinée il avait donné plus que bonne mesure : il tenait tendu devant lui un voile gris, que manifestement il s'efforçait d'épaissir encore davantage et, de ce fait, les cyprès poussés çà et là le long de la *strada de'Sepolcri* se détachaient sur le ciel avec une acuité et une noirceur inhabituelles. C'était un autre tableau que la veille, auquel manquait le mystère de cette lumière éblouissante qui submergeait tout. L'avenue elle-même s'acharnait à montrer une sorte de netteté mélancolique, elle offrait présentement un visage mort qui faisait honneur à son nom. Cette impression ne fut nullement abolie par un mouvement isolé qui se produisit à l'autre bout, elle en fut plutôt renforcée au contraire : c'était comme si on avait vu là-bas, aux alentours de la Villa de Diomède, une forme fantomatique en train de chercher son tumulus avant de disparaître sous l'une des stèles funéraires.

Ce n'était pas le plus court chemin entre la Maison de Méléagre et l'*Albergo del Sole,* il fallait même prendre pour y aller la direction très exactement opposée, mais Zoé-Gradiva devait s'être rendu compte après coup que le temps ne la pressait pas à ce point pour arriver à

l'heure au déjeuner. En effet, après un bref arrêt à la
Porte d'Herculanum, elle s'engagea sur les dalles de lave
de l'avenue des Tombeaux, relevant à chaque pas presque
à la verticale la plante du pied qui restait en arrière.

La « Villa de Diomède » — ainsi nommée par nos
contemporains, d'une façon parfaitement arbitraire, à
cause du tombeau qu'un *libertus* qui avait administré ce
quartier du temps de la ville antique, un certain Marcus
Arrius Diomedes, avait érigé à proximité pour son
ancienne patronne Arria, ainsi que pour lui-même et sa
famille — était une très vaste construction; elle recelait
en elle une importante fraction de l'histoire de l'ensevelissement de Pompéi et cela n'avait rien d'une fantaisie
de l'imagination, c'était aussi réel qu'effrayant. La partie
supérieure n'était plus qu'un immense amas de ruines
de toute espèce; la partie basse, un niveau au-dessous,
comportait un jardin de dimensions inhabituelles, cein-
turé tout autour par un portique dont les piliers étaient
encore debout, avec en son milieu les maigres restes
d'une fontaine et d'un petit temple; plus loin et encore
en dessous, deux escaliers descendaient dans un couloir
voûté circulaire, servant de cave, à peine éclairé d'une
lumière sale, triste, crépusculaire. Les cendres du Vésuve
avaient même pénétré jusque-là et on y avait trouvé les
squelettes de dix-huit femmes et enfants : à la recherche
d'un abri, les malheureuses avaient rassemblé à la hâte
quelques provisions puis s'étaient réfugiées dans ce réduit
à demi souterrain; ce refuge illusoire était devenu leur
crypte funéraire. A un autre endroit était étendu sur le
sol celui qu'on pense avoir été le maître de maison et
dont on ignore le nom, également mort par asphyxie; il

avait voulu se sauver par la porte du jardin, qui était sans doute fermée car ses doigts en serraient encore la clef. À ses côtés était blotti un autre squelette, vraisemblablement celui d'un serviteur, qui portait sur lui un nombre considérable de pièces d'or et d'argent. Les corps des pauvres gens, pris dans la cendre durcie, avaient gardé leur forme : au *Museo Nazionale,* à Naples, on conserve dans une vitrine une empreinte qui a été trouvée là, le cou, les épaules et la poitrine parfaite d'une jeune fille vêtue d'une robe de fin voilage.

La Villa de Diomède constituait, au moins une fois, un but immanquable de promenade pour tout visiteur de Pompéi conscient de ses devoirs, mais à cette heure-là, aux environs de midi, on pouvait penser sans grand risque de se tromper, étant donné en plus sa situation relativement à l'écart et éloignée, qu'il ne s'y trouverait aucune espèce de curieux; c'est pourquoi elle était apparue à Norbert Hanold comme l'endroit le plus approprié où se réfugier pour faire face à son nouveau casse-tête. Celui-ci exigeait de la façon la plus pressante une solitude de tombeau, pas une respiration, pas un mouvement, le silence et la tranquillité; mais cette dernière exigence était vigoureusement battue en brèche par le bouillonnement qui agitait son propre sang, et il avait dû négocier un compromis entre ces deux nécessités : que la tête assure son besoin de calme, que les pieds au contraire soient libres de s'abandonner à leur désir de bouger. C'est pourquoi depuis son arrivée il tournait en rond dans le portique, et parvenait ainsi à maintenir son équilibre physique; il s'efforçait par ailleurs de ramener à son état normal l'équilibre de son esprit. Mais cela s'avérait plus difficile à faire qu'à dire. De toute façon, il était obligé de reconnaître que sans l'ombre d'une discussion il fallait qu'il ait perdu tout sang-froid et tout bon sens pour avoir cru qu'il s'était assis en compagnie d'une jeune Pompéienne revenue à la vie avec un corps plus ou moins matériel. Regarder en face cette folie représentait sans conteste un réel pas en avant sur le chemin du retour à la raison; mais cela ne suffisait pas pour que ladite raison se retrouve en état de fonctionner normalement, car même si elle s'était rendue à l'évidence que Gradiva n'était rien d'autre qu'une effigie de pierre sans vie, il n'en était pas moins hors de doute qu'elle vivait toujours! Cela avait été prouvé de manière irréfutable : il n'y avait pas que lui qui la voyait, d'autres aussi, et qui savaient qu'elle s'appelait Zoé, et qui lui parlaient comme à une personne douée de la même existence physique qu'eux-mêmes! D'un autre côté, elle connaissait bel et bien son nom à lui, et cela ne pouvait provenir chez elle que d'un pouvoir surnaturel. Cette double nature aussi restait une énigme pour le peu de raison qui avait réintégré son cerveau! Néanmoins, à ce conflit de données incompatibles venait s'ajouter à l'intérieur de lui-même un autre d'un genre approchant : si d'une part il souhaitait avec une ardeur extrême avoir été enseveli avec les autres ici même dans la Villa de Diomède deux mille ans auparavant, afin de ne plus courir le risque de jamais rencontrer Zoé-Gradiva, d'autre part et en même temps il sentait remuer en lui la certitude extraordinairement exaltante qu'il était encore en vie et que de ce fait il gardait la possibilité de la retrouver une autre fois quelque part. Pour employer une comparaison aussi exacte que familière, ça tournait dans sa tête comme la roue d'un moulin, et de la même manière il n'arrêtait pas de faire en courant le tour du portique, sans y trouver aucune aide pour voir clair dans ces contradictions. Au contraire, il avait l'impression vague que tout s'assombrissait de plus en plus autour de lui comme en lui.

Et soudain, au moment où il tournait à l'un des quatre angles du portique, il subit un choc qui le fit reculer : à une demi-douzaine de pas devant son nez était assise sur un pan de mur en ruine d'une certaine hauteur une des jeunes filles qui avaient trouvé la mort sous la cendre par ici.

Non, c'était là une de ces idées insensées dont sa raison était maintenant débarrassée. Et puis ses yeux, ainsi que quelque chose d'autre au fond de lui qui n'avait pas de nom, la reconnaissaient : c'était Gradiva. Elle était assise sur les blocs de pierre, comme les autres fois sur la marche, mais étant donné que ceux-ci étaient notablement plus hauts, on pouvait voir jusqu'à la cheville sous le bas de la robe, dans toute leur grâce et leur finesse, ses pieds portant des chaussures couleur sable qui pendaient dans le vide.

En un geste instinctif, Norbert voulut d'abord s'élancer entre deux colonnes et courir à travers le jardin : l'être qu'il redoutait le plus au monde et qui l'occupait depuis une demi-heure venait subitement d'apparaître, pour le regarder avec des yeux clairs, au-dessous desquels la bouche, lui semblait-il, était en train de s'entrouvrir sur un rire moqueur. Elle n'en fit rien cependant, mais il s'en échappa une voix bien connue qui déclarait d'un ton calme : « Là dehors, tu vas être trempé ! »

C'est alors seulement qu'il s'aperçut qu'il pleuvait, et c'était pour cela qu'il faisait tellement sombre. Voilà qui sans aucun doute était une aubaine pour la végétation de Pompéi et des alentours, mais supposer qu'un être humain en tirerait le même profit, c'était du dernier

ridicule, et pour le moment Norbert Hanold avait beaucoup plus peur de se rendre ridicule que de mettre sa
vie en danger. Il renonça donc immédiatement à toute
tentative de s'en aller et resta planté là, sans savoir que
faire, à regarder les deux pieds qui maintenant, comme
pris d'une sorte d'impatience, se balançaient légèrement
d'avant en arrière. Mais voyant que ce spectacle ne
parvenait pas à lui clarifier les idées suffisamment pour
qu'il trouve des mots capables de les exprimer, la propriétaire de ces pieds gracieux reprit la parole : « Nous
avons été interrompus, tout à l'heure, tu allais me raconter une histoire de mouches... J'ai cru comprendre que
tu poursuivais ici des observations scientifiques... ou qu'il
s'agissait d'une mouche dans ta cervelle. Est-ce que tu
as eu la chance de l'attraper sur ma main, et de l'assas-
siner ? »

Elle prononça ce dernier mot avec un sourire sur les
lèvres, mais si léger et si charmant qu'il n'avait rien
d'effrayant. Au contraire, il fit aussitôt retrouver la parole
à l'interpellé, avec cette restriction pourtant que le jeune
archéologue soudain n'arrivait plus à savoir de quel
pronom au juste il devait se servir dans sa réponse. Pour
échapper à ce dilemme, il trouva que le mieux était de
n'en employer aucun, et il répliqua : « J'avais... comme
on dit... la cervelle un peu embrouillée et je m'excuse
pour cette main d'avoir ainsi... je n'arrive pas à comprendre
comment j'ai pu être aussi stupide... mais il ne me paraît
pas non plus facile de comprendre comment la propriétaire de cette main a pu me reprocher mon... mon coup
de folie en m'appelant par mon nom. »

Les pieds de Gradiva interrompirent leur balancement, et elle reprit, en lui parlant toujours à la deuxième
personne : « Pour ce qui est de comprendre, on ne peut

pas dire que tu aies fait de grands progrès, Norbert Hanold! Il est vrai que cela ne me surprend pas, car tu m'y as habituée depuis un bout de temps. Pour en refaire l'expérience, je n'avais pas besoin de venir à Pompéi, tu aurais pu me le confirmer à cent bonnes lieues d'ici! – À cent bonnes lieues d'ici, répondit-il sans comprendre et en bégayant à moitié, où ça? – En face de ton appartement, en biais, dans la maison qui fait l'angle, à ma fenêtre il y a une cage avec un canari. » En entendant ce dernier mot, il se rappela quelque chose qui lui revenait de très loin et répéta : « Un canari... »; puis il continua en bégayant encore davantage : « Celui... celui qui chante? – C'est ce qu'ils font d'habitude, surtout au printemps, quand le soleil recommence à briller et à chauffer. Dans cette maison habite mon père, le professeur de zoologie Richard Bertgang. » Les yeux de Norbert Hanold s'ouvrirent plus grands qu'ils ne l'avaient jamais fait; il redit encore une fois : « Bertgang... Mais alors, vous êtes... vous êtes... mademoiselle Zoé Bertgang? Pourtant, je ne la voyais pas du tout comme ça... »

Les deux pieds qui pendaient recommencèrent un peu à se balancer, et Mlle Zoé Bertgang reprit : « Si tu trouves cette façon d'adresser la parole plus convenable entre nous, je peux aussi l'employer, mais l'autre m'est venue plus naturellement au bout de la langue. Je ne sais pas si autrefois, lorsqu'on se rencontrait tous les jours comme de bons amis pour aller courir ensemble et quelquefois même échanger des coups de poing ou de pied, tu ne me voyais pas comme ça. Mais si ces dernières années il vous était arrivé une seule fois de faire attention à moi et de me regarder, vos yeux se seraient peut-être ouverts et vous auriez vu que je suis comme ça depuis déjà pas mal de temps... Non, pas maintenant, comme on dit chez nous il tombe des cordes, vous n'aurez bientôt plus un fil de sec! »

Ce n'étaient plus seulement ses pieds, pendant qu'elle parlait, qui trahissaient chez elle un nouvel accès d'impatience ou de quoi que ce fût, mais sa voix elle-même avait pris un ton légèrement supérieur, agacé, persifleur, et Norbert ne put échapper à l'impression qu'il risquait de jouer un rôle déplaisant, celui du grand dadais qui se fait gronder et donner une tape sur le museau par son institutrice. Ce qui l'amena machinalement à amorcer encore une fois une fuite entre les colonnes, et c'est ce mouvement, par lequel il avait révélé son envie, que concernait la dernière remarque de Mlle Zoé, ajoutée d'un ton détaché. Remarque, il faut l'avouer, indiscutablement justifiée, car de ce qui se passait hors de la protection de l'auvent, l'expression « tomber des cordes » ne donnait qu'une description très atténuée. Un déluge tropical, comme on n'en voit que très rarement venir soulager la soif estivale des terres de Campanie, dégringolait à la verticale en crépitant, on aurait dit que la mer Tyrrhénienne se déversait du haut du ciel sur la Villa de Diomède ou qu'il se dressait là un mur épais formé de milliards de gouttes grosses comme des noix et brillantes comme des perles. Dans ces conditions, il était impossible de sortir à l'air libre et Norbert Hanold fut obligé de rester dans le portique devenu salle de classe : la jeune maîtresse d'école, avec son joli visage et son air malin, profita de ce qu'il était ainsi bouclé pour pousser davantage son exposé pédagogique, en reprenant après une courte pause :

« À ce moment-là, c'est-à-dire jusqu'à l'âge où on

nous dit je ne sais pourquoi " merlans frits [a] ", je m'étais
habituée à ressentir pour vous une affection à vrai dire
étrange, je croyais que jamais je ne trouverais sur terre
un ami plus agréable. Je n'avais pas de mère, pas de
frère ou de sœur, mon père trouvait sensiblement plus
d'intérêt à un orvet conservé dans l'alcool qu'à ma
personne, et il faut bien que chacun, y compris une jeune
fille, se trouve quelque chose pour occuper ses pensées
et tout ce qui va avec. Ce quelque chose, à ce moment-
là, c'était vous; mais lorsque vous vous êtes jeté à corps
perdu dans l'étude de l'Antiquité, j'ai fait cette découverte que pour ce qui est de toi... excusez-moi, mais
votre innovation si convenable m'agace les oreilles et elle
ne facilite pas ce que j'ai à dire... je disais donc qu'il
m'était apparu alors que tu étais devenu un homme
insupportable qui, du moins en ce qui me concerne,
n'avait plus d'yeux pour voir, plus de langue pour parler,
plus de mémoire pour conserver, comme je l'avais fait,
ce qui se rapporte à notre amitié d'enfance. Voilà pourquoi, en fait, je ne ressemblais plus à ce que j'étais avant :
lorsqu'il m'arrivait de te rencontrer ici ou là à une
réception, et pas plus tard que l'hiver dernier, tu ne me
voyais pas et je parvenais encore moins à te tirer une
parole, en quoi d'ailleurs, je n'étais pas traitée d'une
manière spéciale puisque tu faisais exactement pareil avec
tout le monde. J'étais pour toi transparente comme de
l'air, et avec cette touffe de cheveux blonds qu'il m'était
arrivé de tirer autrefois, tu étais aussi ennuyeux, desséché

a. En allemand *Backfische,* littéralement « poissons frits », expression très courante pour désigner les jeunes adolescentes; on peut supposer que cette locution conjugue la naïveté que rend notre « oie
blanche » et la promptitude à tomber amoureuse : transie, montrant
des yeux de poisson mort? De là notre choix... *(N. d. T.)*

et peu bavard qu'un cacatoès empaillé et en même temps aussi imposant qu'un... archéoptéryx, oui, je crois que c'est le nom de ces monstrueux oiseaux fossiles d'avant le déluge. Mais que ta cervelle ait hébergé une fantaisie aussi imposante, elle aussi, que de m'avoir prise, ici à Pompéi, pour un être sorti de terre et revenu à la vie, voilà quelque chose que je n'attendais pas de toi, et lorsque tu es apparu à l'improviste devant moi, j'ai eu beaucoup de peine, au début, à m'y retrouver dans l'incroyable fantasmagorie tissée par ton imagination. Puis cela m'a amusée et j'y ai pris pas mal de plaisir malgré le côté histoire de fous de la chose. Car, comme je te l'ai dit, je ne m'attendais pas à cela de ta part. »

C'est sur ces mots que Mlle Zoé Bertgang, qui avait vers la fin adopté une expression et un ton un peu radoucis, acheva cette mercuriale explicite, circonstanciée et instructive; il était étrange de noter à quel point pendant tout ce temps elle ressemblait à la Gradiva du bas-relief. Pas seulement par les traits du visage, l'allure générale, les yeux au regard si vif, les cheveux plaisamment ondulés, pour ne pas parler de la gracieuse démarche qui s'était montrée en maintes occasions : son habillement même, la robe et le fichu coupés dans un fin cachemire de couleur crème, aux plis nombreux et souples, complétaient cette extraordinaire similitude de toute l'apparence extérieure. Bien sûr, il y avait grande folie à croire qu'une Pompéienne ensevelie par le Vésuve il y a deux millénaires pouvait par intermittence revenir à la vie, se promener, parler, dessiner et manger du pain, mais lorsqu'une croyance vous rend bienheureux, elle vous fait avaler à doses massives toute sorte d'autres invraisemblances. Et tout bien considéré, si l'on veut apprécier l'état mental de Norbert Hanold, ce n'était certainement pas sans des circonstances atténuantes qu'il avait eu cette idée folle de regarder pendant deux jours Gradiva comme *Rediviva*.

Il se tenait au sec sous le toit du portique, mais on aurait pu sans extravagance le comparer à un chien mouillé, qui vient de ramasser un broc d'eau sur la tête. À ceci près seulement que la douche froide lui avait fait du bien. Sans savoir exactement pourquoi, il se sentait à la suite de cela la poitrine nettement moins oppressée, il respirait mieux. Y avaient contribué avant tout le changement de ton à la fin du sermon — de fait, elle ressemblait à une prédicatrice en chaire! — et pour une petite partie le fait qu'elle avait laissé filtrer à travers ses paupières une lueur qui la transfigurait, évoquant les yeux recueillis et émus des fidèles où s'affirme l'espérance que leur foi leur vaudra le salut éternel. Et puisque maintenant la remontrance était une affaire terminée, dont il n'y avait plus à craindre qu'elle n'eût une suite, il réussit à ouvrir la bouche pour déclarer : « Oui, à présent je te reconnais... non, au fond, tu n'as pas vraiment changé,... tu es bien Zoé... ma camarade d'enfance si bonne, gaie, malicieuse... ce qui est très étrange... — C'est que quelqu'un doive mourir pour se retrouver en vie! Mais en archéologie, il faut nécessairement que les choses se passent ainsi! — Non, je veux dire ton nom... — Qu'est-ce qu'il a d'étrange? » Le jeune archéologue se révéla compétent non seulement dans les langues classiques, mais dans l'étymologie des langues germaniques, car il répondit : « Il y a que Bertgang a le même sens que Gradiva et désigne ˝ celle qui brille par sa démarche ˝. »

À ce moment-là, les deux chaussures en forme de sandale de Mlle Zoé Bertgang faisaient tout à fait penser

par leur mouvement à une bergeronnette battant impatiemment la mesure dans l'attente de quelque chose;
mais ce sur quoi était braquée l'attention de la propriétaire de ces pieds qui brillaient par leur démarche, ce
n'était sans doute pas pour l'instant des analyses lin-
guistiques. L'expression de son visage, en outre, donnait
le sentiment qu'elle avait quelque chose d'urgent à faire,
mais elle en fut détournée par une nouvelle exclamation
de Norbert Hanold dont on devinait à l'entendre qu'elle
traduisait sa plus intime conviction : « Quelle chance,
tout de même, que tu ne sois pas Gradiva, mais quelqu'un comme la jeune dame si sympathique! » Cela fit
passer sur son visage une expression de surprise, comme
si elle avait soudain dressé l'oreille, et elle demanda :
« Qui ça? De qui est-ce que tu parles? — De celle qui
est venue t'aborder dans la Maison de Méléagre. — Tu
la connais? — Oui, je l'avais déjà vue. Elle a été la
première à me plaire vraiment. — Réellement? Et où est-
ce que tu l'as vue? — Ce matin même, dans la Maison
du Faune. Ils étaient tous les deux en train de faire
quelque chose de tout à fait extraordinaire. — Qu'est-ce
qu'ils faisaient donc? — Ils ne m'avaient pas vu et ils
s'embrassaient. — En l'occurrence, ils avaient parfaitement
raison. Pourquoi crois-tu qu'ils sont venus à Pompéi en
voyage de noces? »

D'un seul coup, sur ce dernier mot, le tableau que
Norbert avait eu jusqu'alors devant les yeux se trouva
transformé, car il n'y avait plus personne sur le grand
mur en ruine : celle qui l'avait choisi pour siège, pour
chaire de professeur et de prédicateur, en était descendue.
Ou plus exactement s'en était envolée, et même avec un
balancement aisé comme celui d'une bergeronnette qui
prend son essor, si bien qu'elle s'était déjà remise debout

sur ses pieds de Gradiva bien avant que l'œil ait pu enregistrer qu'elle s'était envolée puis posée. Et comme pour enchaîner immédiatement, elle reprit la parole en disant : « Ça y est, l'orage s'est arrêté; tyran trop enragé ne règne pas longtemps. En plus, c'est tout à fait raisonnable, et de cette façon tout se remet à obéir à la raison, moi la première, et tu peux aller retrouver Gisa Hartleben ou je ne sais quel est son nouveau nom, pour lui apporter l'aide de la science quant au but de son séjour à Pompéi. Il faut maintenant que je retourne à l'*Albergo del Sole,* car mon père doit déjà m'attendre pour déjeuner. Peut-être aurons-nous la chance de nous rencontrer de nouveau à une réception en Allemagne, ou sur la Lune! *Addio*! »

Zoé Bertgang avait dit cela du ton très aimable mais en même temps parfaitement indifférent d'une jeune femme de la bonne société, et elle se prépara à repartir, avançant le pied gauche, selon son habitude, pendant que la plante du droit se dressait presque à la verticale. Mais comme en plus elle avait noté que dehors le sol était très mouillé, de la main gauche elle soulevait le bas de sa robe, et c'était exactement le portrait de Gradiva : pour la première fois, Norbert, qui se tenait à peine à deux longueurs de bras, remarqua une toute petite différence entre la femme vivante et la femme sculptée. La première possédait quelque chose que la seconde n'avait pas et qui apparaissait avec une netteté particulière en cet instant : une petite fossette sur la joue. Laquelle joue était le théâtre d'un événement infime et impossible à décrire : un petit pli en pinçait la surface, qui pouvait exprimer la contrariété aussi bien qu'une envie de rire contenue, ou peut-être bien les deux ensemble. Norbert Hanold y tenait son regard attaché et quoiqu'il eût entièrement retrouvé la raison, comme on venait de le lui certifier, ses yeux furent encore une fois victimes de ce qui paraissait une illusion d'optique. Car il s'exclama d'un ton singulièrement triomphal et fier de sa découverte : « La voilà encore, la mouche ! » Cette phrase parut si étrange aux oreilles de celle qui l'entendait sans comprendre, puisqu'elle ne pouvait se rendre compte par ses propres yeux, qu'elle lança involontairement la question : « La mouche ? Où ça ? – Là, sur ta joue ! » Et en même temps qu'il répondait, il passa soudain un bras autour de son cou et essaya cette fois d'attraper avec les lèvres l'insecte qu'il avait si profondément exécré et que l'hallucination lui avait fait apercevoir dans la fossette. Sans aucun succès, de toute évidence, car tout de suite après il se mit à crier : « Non, la voilà maintenant sur tes lèvres ! » – et c'est sur ce point qu'à la vitesse de l'éclair il reporta ses efforts pour l'attraper, mais avec une telle opiniâtreté qu'à n'en pas douter il réussirait enfin à mener l'entreprise à son terme. Et, chose curieuse, la Gradiva en chair et en os n'opposa cette fois pas la moindre résistance ; lorsque, au bout d'à peu près une minute, sa bouche se trouva finalement obligée de lutter pour reprendre à fond son souffle, elle ne déclara pas après avoir retrouvé la parole : « Tu es réellement fou, Norbert Hanold » ; au contraire, un sourire plein de séduction apparut sur ses lèvres sensiblement plus rouges qu'auparavant, témoignant qu'elle était encore plus assurée de ce qu'il avait recouvré toute sa santé mentale.

Deux mille ans plus tôt, au cours d'une heure tragique, la Villa de Diomède avait été le lieu d'une scène atroce à voir et à entendre, mais elle venait, durant une heure, d'assister à des événements qui pour l'œil comme pour l'oreille n'avaient absolument rien de propre à inspirer la terreur. Cependant il arriva un moment où chez Mlle Zoé Bertgang une réflexion fort raisonnable s'imposa, à la suite de quoi, contre son vœu profond et sa volonté, ces paroles tombèrent de sa bouche : « Eh bien maintenant, je dois *réellement* m'en aller, autrement mon pauvre père va mourir de faim. Je crois qu'aujourd'hui tu peux renoncer à déjeuner en compagnie de Gisa Hartleben, puisque tu n'as plus rien à apprendre d'elle, et que tu devras te contenter de l'Auberge du Soleil avec moi. »

Une chose à retenir de ces paroles, et voilà un point sur lequel la conversation avait dû porter, parmi bien d'autres, au cours de l'heure écoulée, c'est qu'il se révélait que Norbert avait tiré un précieux enseignement de celle qu'il appelait la jeune dame. Là n'est pourtant pas ce qu'il releva dans ces mots encourageants, mais quelque chose qui lui vint à l'esprit pour la première fois, qui l'effraya et qui fut la cause de cette reprise du dialogue : « Ton père... qu'est-ce qu'il va...? »

Mlle Zoé l'interrompit, sans manifester le moindre signe d'inquiétude : « Rien du tout, probablement, je ne suis pas une pièce irremplaçable dans sa collection zoologique; si j'en étais une, mon cœur ne serait peut-être pas attaché à toi de façon aussi aberrante! Du reste, il y a belle lurette que je me suis fait une doctrine, à savoir qu'une femme ne sert à rien d'autre sur cette terre qu'à épargner à un homme la fatigue de s'occuper de tout ce qu'il faut faire dans une maison; j'épargne cette fatigue à mon père presque tout le temps, et tu peux donc sur ce point aussi être à peu près tranquille pour ton avenir. Mais s'il arrivait cependant qu'une fois par hasard, et justement cette fois-ci, il ait une autre opinion que la mienne, nous pouvons procéder le plus simplement du monde. Tu n'as qu'à aller passer deux ou trois jours à Capri. Tu y attrapes avec un nœud coulant fait d'un brin d'herbe – pour savoir comment t'y prendre, tu pourras t'entraîner sur mon petit doigt – un *lacerta faraglionensis* que tu lâcherais ici dans la nature pour le rattraper sous ses yeux. Après quoi il n'y aurait qu'à le laisser libre de choisir entre le lézard et moi : tu es tellement sûr de m'obtenir que j'en ai presque de la peine pour toi! Au fait, à l'égard de son collègue Eimer je sens que jusqu'aujourd'hui je me suis conduite comme une ingrate, car sans sa géniale découverte dans l'art d'attraper les lézards, je ne serais sans doute pas venue dans la Maison de Méléagre et cela aurait été bien dommage non seulement pour toi, mais pour moi! »

Quand elle exprima cette opinion, ils étaient déjà sortis de la Villa de Diomède. Malheureusement il n'y avait plus personne à la surface de la terre pour faire quelques observations sur la voix et l'intonation de Gradiva; mais si celles-ci, tout comme le reste de sa personne, avaient beaucoup ressemblé à celles de Mlle Zoé Bertgang, nul doute qu'elles avaient puisé dans ce mélange de perfection et d'humour un charme extraordinaire.

En tout cas, Norbert succomba si totalement à ce charme qu'il s'écria, emporté par un élan de lyrisme : « Zoé, ma joie de vivre et de jouir du présent... nous ferons notre voyage de noces en Italie et à Pompéi! »

Voilà qui apportait une belle confirmation à ce qu'enseigne l'expérience, à savoir que le changement de circonstances peut produire chez l'homme une transformation du cœur et entraîner en même temps un affaiblissement corrélatif de la mémoire. Car il ne lui vint pas une seconde à l'esprit que durant ce voyage, sa compagne et lui allaient courir le risque de mériter les noms d'Auguste et Grete de la part de compagnons de voyage grincheux et misanthropes. Il n'y pensa pas plus, en cet instant, qu'à la façon dont ils parcouraient main dans la main l'antique avenue des Tombeaux de Pompéi. Celle-ci de toute manière ne donnait plus du tout l'impression de mériter ce nom : au-dessus d'elle un ciel sans nuage brillait et souriait de nouveau, le soleil étendait un tapis d'or sur les vieilles dalles de lave, le Vésuve s'empanachait d'une large couronne vaporeuse, et toute la cité exhumée semblait recouverte non plus de pierre ponce et de cendre, mais, à la suite de la bienfaisante ondée qu'elle avait reçue, de perles et de diamants. Avec ces derniers les yeux de la fille du zoologiste rivalisaient d'éclat tandis que sa bouche pleine de subtilité répondait au vœu concernant le but du voyage que venait d'exprimer son ami d'enfance, lui aussi en quelque sorte exhumé et sauvé de l'ensevelissement : « Sur ce point, à mon avis, ce n'est pas aujourd'hui que nous allons nous casser la tête, c'est une chose qu'il vaudra bien mieux mettre au clair ensemble après l'avoir mûrement examinée, cela doit attendre les suggestions de l'avenir. Pour le moment, je ne me sens pas encore assez redevenue pleinement vivante, pour prendre des décisions d'ordre géographique! »

Ces paroles révélaient bien chez celle qui les prononçait une grande modestie intérieure à l'égard de sa faculté de discernement, quand il s'agissait de choses auxquelles elle n'avait encore jamais réfléchi. Ils étaient revenus à la Porte d'Herculanum, là où commence la *strada Consolare* et où de vieilles pierres piétonnières permettent de traverser la rue. Norbert Hanold s'arrêta devant le passage et dit avec quelque chose de particulier dans le son de sa voix : « S'il te plaît, traverse ici! » Un sourire joyeux et complice glissa sur les lèvres de sa compagne, et, relevant un peu sa robe de la main gauche, Gradiva *rediviva* Zoé Bertgang, pendant qu'il la couvait d'un regard rêveur et insistant, gagna l'autre côté de la rue en passant sur les dalles, avec sa façon de marcher paisible et alerte, auréolée des rayons du soleil.

SIGMUND FREUD

Le délire et les rêves
dans la Gradiva *de W. Jensen*

TRADUIT DE L'ALLEMAND
PAR PAULE ARHEX
ET ROSE-MARIE ZEITLIN

I

Dans un cercle d'hommes où l'on estime que les
énigmes essentielles du rêve ont été résolues grâce aux
efforts de l'auteur de cet écrit [1], s'est éveillée un jour la
curiosité de s'occuper de rêves qui n'ont jamais été rêvés,
qui ont été créés par des écrivains [a] et attribués à des
personnages imaginaires dans le cadre d'un récit. Le projet
de soumettre à un examen cette catégorie de rêves pourrait sembler surprenant et oiseux; sous un certain angle,
on pourrait le présenter comme justifié. En général, on
ne croit pas du tout que le rêve ait un sens et puisse
être interprété. La science et la majorité des personnes
cultivées sourient quand on leur demande d'interpréter

---

* Les numéros en marge sont ceux des pages des *Gesammelte Werke*,
tome VII.
   Les notes appelées par des chiffres sont de Freud. Celles appelées
par des lettres sont des notes de traduction ou d'édition.
   1. Freud, *L'interprétation du rêve* (1900a).
   a. *Dichter*, mot qui signifie, au sens large, « créateur littéraire » et
correspond, au sens restreint, à l'acception française du mot « poète ».
Nous traduirons toujours par « écrivain » quand Freud parlera du
Dichter en général, par « l'auteur », « notre auteur », « le romancier »
quand le mot s'appliquera au seul Jensen. En une seule occurrence,
p. [148], *Dichter* est traduit par « poète ». — Voir aussi S. Freud,
L'inquiétante étrangeté et autres essais (1985), note de la page 32.

un rêve; seul le peuple attaché à la superstition, qui perpétue sous ce rapport les convictions de l'Antiquité, ne veut pas renoncer à la possibilité d'interpréter les rêves, et l'auteur de *L'interprétation du rêve* a osé prendre parti pour les Anciens et la superstition, à l'encontre de l'opposition de la science rigoureuse. Certes, il est bien éloigné de reconnaître dans le rêve une annonce du futur, à la révélation duquel l'homme, avec toutes sortes de moyens illicites, aspire vainement de tout temps. Mais

32   il ne pouvait non plus rejeter totalement la relation du rêve avec le futur car, au terme d'un pénible travail de traduction, le rêve lui apparut comme la représentation d'un *désir accompli* du rêveur, et qui pourrait contester que les désirs, d'une façon générale, ne se tournent de préférence vers l'avenir?

Je viens de le dire : le rêve est un désir accompli. Celui qui ne craint pas de se frayer un chemin à travers un livre difficile, et qui n'exige pas qu'un problème compliqué lui soit présenté comme simple et facile afin d'épargner ses efforts aux dépens de l'exactitude et de la vérité, pourra chercher dans *L'interprétation du rêve* que nous évoquons ici l'ample preuve de cette proposition et écarter les objections qu'il avait certainement jusque-là contre l'équivalence du rêve et de l'accomplissement de désir.

Nous avons beaucoup anticipé. Il ne s'agit encore nullement d'établir si la signification d'un rêve peut être rendue dans tous les cas par un désir accompli, ou si elle ne l'est pas tout aussi fréquemment par une attente anxieuse, un projet, une réflexion, etc. La question est plutôt de savoir d'abord si le rêve a bien un sens, si on doit lui attribuer la valeur d'un processus psychique. La science répond par non, elle considère l'acte de rêver comme un processus purement physiologique, derrière lequel il n'y a donc pas à chercher de sens, de signification, d'intention. Des stimuli corporels joueraient au cours du sommeil sur l'instrument psychique et amèneraient ainsi à la conscience telle ou telle des représentations, privées de toute cohésion psychique. Les rêves ne seraient que des soubresauts mais ne seraient nullement comparables à des mouvements d'expression de la vie psychique.

Or, dans ce débat au sujet de l'appréciation du rêve, les écrivains semblent être du même côté que les Anciens, que le peuple superstitieux et l'auteur de *L'interprétation du rêve*. Car, quand ils font rêver les personnages créés par leur imagination [a], ils obéissent à l'expérience quotidienne selon laquelle les pensées et les sentiments des hommes se poursuivent jusque dans le sommeil et ils ne cherchent qu'à dépeindre les états d'âme de leurs héros par les rêves de ces derniers. Mais les écrivains sont de précieux alliés et il faut placer bien haut leur témoignage car ils connaissent d'ordinaire une foule de choses entre le ciel et la terre dont notre sagesse d'école n'a pas encore la moindre idée [b]. Ils nous devancent de beaucoup, nous autres hommes ordinaires, notamment en matière de psychologie, parce qu'ils puisent là à des sources que nous n'avons pas encore explorées pour la science. Si seulement cette prise de position des écrivains en faveur de la nature signifiante des rêves était moins ambiguë! Une critique plus fine pourrait certes objecter que l'écrivain ne prend parti ni pour ni contre la signification

a. *Phantasie* dans le texte. Nous traduirons ce mot, selon le contexte, tantôt par « imagination », tantôt par « fantaisie ».
b. Allusion à la fameuse réplique de Hamlet (acte I, scène 5), à laquelle Freud fait maintes fois référence dans ses écrits.

psychique d'un rêve; il se contente de montrer comment l'âme endormie tressaille sous les excitations qui sont restées actives en elle, comme dernières vagues de la vie éveillée.

Cependant, cette froide constatation ne tempère en rien l'intérêt que nous portons à la manière dont les écrivains se servent du rêve. Même si l'investigation ne devait rien nous enseigner de nouveau sur l'essence des rêves, elle nous permettra peut-être, de ce point de vue, d'avoir un petit aperçu sur la nature de la production littéraire. Certes, les rêves réels passent déjà pour des créations débridées et anarchiques; que dire alors des libres re-créations de ces rêves! Mais il y a beaucoup moins de liberté et d'arbitraire dans la vie psychique que nous n'inclinons à l'admettre; peut-être n'y en a-t-il aucune. Il est bien connu que ce que nous nommons le hasard dans le monde extérieur se ramène à des lois; ce que nous nommons l'arbitraire dans la vie psychique repose aussi sur des lois, même si pour l'instant nous ne les pressentons qu'obscurément. Observons donc cela de plus près.

Deux voies s'ouvrent pour cet examen. L'une serait d'approfondir un cas particulier, les créations oniriques d'un écrivain dans un de ses ouvrages. L'autre consisterait à rassembler et comparer tous les exemples d'utilisation des rêves que l'on pourrait trouver dans les œuvres de différents écrivains. Cette deuxième voie paraît de loin la meilleure et peut-être la seule qui soit justifiée, car elle nous libère aussitôt des inconvénients qui sont liés à l'adoption d'un concept créé artificiellement, qui rassemble tous les « écrivains » en un seul groupe. Lorsqu'on y regarde de plus près, ce groupe se divise en individualités de valeur tout à fait diverse, parmi lesquelles

Bas-relief antique de la « Gradiva ». (Ph. Collection Viollet.)

Félicien Rops, *La tentation de saint Antoine*
(Bibliothèque nationale, Paris, Photo © Bibl. nat.)

D'autres peintres, dont la pénétration psychologique était moindre,
ont placé dans des représentations analogues de la tentation le péché
insolent et triomphant quelque part à côté du Sauveur sur la croix.
Seul Rops lui a fait prendre la place du Sauveur lui-même sur la croix ;
il paraît avoir su que le refoulé, lors de son retour, surgit de l'instance
refoulante elle-même.

nous aimons à saluer, dans certains cas, la connaissance
la plus profonde de l'âme humaine. Et pourtant, c'est
un examen appartenant à la première catégorie qui rem-
plira ces pages. Il s'était trouvé, dans le cercle d'hommes
d'où est partie notre initiative, quelqu'un [a] qui s'avisa
que l'œuvre littéraire qui venait d'éveiller son intérêt
contenait plusieurs rêves qui l'avaient en quelque sorte
regardé avec des traits familiers et invité à essayer sur
eux la méthode de *L'interprétation du rêve*. Il reconnut
que le sujet et le cadre de cette petite fiction avaient
certes contribué pour une part essentielle à faire naître
le plaisir qu'il avait pris à sa lecture, car l'histoire se
déroulait sur le sol de Pompéi et parlait d'un jeune
archéologue qui, ayant détourné son intérêt de la vie,
l'avait consacré aux vestiges du passé classique et se
trouvait ramené à la vie par un détour singulier mais
parfaitement logique. Tout au long du développement
de ce thème essentiellement poétique s'éveillaient, chez
le lecteur, disait-il, toutes sortes de correspondances et
d'harmonies. L'œuvre était le petit récit intitulé *Gradiva*,
de Wilhelm Jensen, que l'auteur lui-même qualifie de
« fantaisie pompéienne ».

À présent, je devrais en fait prier tous mes lecteurs
de laisser de côté notre opuscule et de le remplacer, pour
un long moment, par cette *Gradiva*, parue en librairie
en 1903, afin que, dans les pages qui suivent, je puisse
me référer à quelque chose de connu. Pour ceux qui ont
déjà lu *Gradiva*, je veux remettre en mémoire le contenu
du récit par un bref résumé, et j'espère que leur souvenir
saura rétablir de lui-même tout le charme dont je l'aurai
dépouillé.

---

a. Freud pense à Jung, sans le nommer (cf. Préface, p. 10).

35   Un jeune archéologue, Norbert Hanold, a découvert
à Rome, dans une collection d'antiques, un bas-relief
qui l'a séduit à tel point qu'il a été très heureux de s'en
procurer un excellent moulage qu'il a accroché à un mur
de son cabinet de travail, dans une petite ville universitaire allemande, où il l'étudie, avec un vif intérêt. Ce
bas-relief représente une jeune fille épanouie; elle marche,
et a un peu retroussé son vêtement aux plis nombreux,
révélant ainsi ses pieds chaussés de sandales. L'un des
pieds repose entièrement sur le sol; l'autre, pour l'accompagner, s'est soulevé du sol qu'il ne touche que de
la pointe des orteils, tandis que la semelle et le talon
s'élèvent presque à la verticale. La démarche inhabituelle
et particulièrement séduisante ainsi représentée avait sans
doute éveillé l'attention de l'artiste et, après tant de
siècles, elle captive maintenant le regard de notre spectateur archéologue.

L'intérêt du héros de ce récit pour le bas-relief que
nous venons de décrire est la donnée psychologique
fondamentale de l'œuvre. Il ne s'explique pas d'emblée.
« À dire vrai Norbert Hanold, docteur en archéologie et
professeur d'université, ne trouvait à ce bas-relief, du
point de vue de la discipline qu'il enseignait, rien de
particulièrement remarquable » (p. 34-35 [a]). « Il ne s'expliquait pas pourquoi [cette œuvre] avait retenu son
attention; il ne savait que ceci : il avait été attiré par
quelque chose et l'effet de ce premier regard était resté
inchangé depuis lors. » Cependant, son imagination ne
cesse de s'occuper de cette image. Il y trouve quelque
chose d'« actuel », comme si l'artiste avait fixé « sur le

---

a. Tous les numéros de pages cités dans le texte renvoient à la
traduction française qui précède.

vif » ce spectacle de la rue. Il donne à la jeune fille représentée en marche le nom de « Gradiva », « celle qui avance » ; il imagine qu'elle est assurément la fille d'une maison noble, peut-être celle d'un « édile patricien qui exerçait ses fonctions au service de Cérès » et qu'elle se dirige vers le temple de la déesse. Puis il lui répugne de situer son allure calme et silencieuse dans l'agitation d'une grande cité, bien plus, il acquiert la conviction qu'il faut la transporter à Pompéi et qu'elle marche là, quelque part, sur les curieuses pierres plates qui ont récemment été mises au jour et qui, par temps de pluie, permettaient de traverser la rue à pied sec, tout en facilitant aussi le passage des roues des chars. Pour lui, les traits du visage de la jeune fille sont de type *grec*, son origine hellénique est indubitable, toute sa science de l'Antiquité se met peu à peu au service de telle ou telle de ses fantaisies relatives à l'image qui est à l'origine du bas-relief.   36

Mais alors un problème prétendument scientifique, et qui exige une solution, se pose à l'archéologue. Il s'agit pour lui de porter un jugement critique : « afin de déterminer si l'artiste, dans la démarche de Gradiva, a rendu le pas de manière conforme à la réalité ». Lui-même n'est pas capable de reproduire ce pas ; dans sa quête pour établir la « réalité » de cette façon de marcher, il en arrive bientôt à « l'idée d'éclaircir l'affaire, en se lançant lui-même dans des observations d'après nature » (p. 39). Mais cela l'oblige à se comporter d'une façon qui lui est totalement étrangère. « Le sexe féminin, jusquelà, n'avait été pour lui qu'un concept tiré du marbre ou du bronze, et il n'avait jamais accordé la moindre attention à ses représentantes contemporaines. » Les relations sociales n'ont jamais été pour lui qu'une calamité inévitable. Il voit et entend si peu les jeunes femmes qu'il

rencontre dans la société que, la fois suivante, il les croise
sans les saluer, ce qui, bien entendu, ne le fait pas
apparaître à leurs yeux sous un jour favorable. Mais
maintenant, la tâche scientifique qu'il s'est imposée
l'oblige à regarder assidûment dans la rue, par temps
sec mais surtout lorsqu'il pleut les pieds des femmes et
des jeunes filles qu'il peut entrevoir, ce qui lui vaut le
regard, parfois courroucé, parfois encourageant des personnes ainsi observées : « mais il ne s'en aperçut pas plus
dans ce cas-là que dans l'autre » (p. 40). Le résultat de
37 ces études approfondies l'oblige à constater qu'on ne peut
retrouver la démarche de Gradiva dans la réalité, ce qui
le chagrine et le contrarie profondément.

Peu de temps après, il fait un rêve terriblement angois-
sant qui le transporte dans l'antique Pompéi le jour de
l'éruption du Vésuve, et le rend témoin de la destruction
de la ville. « Il se tenait en bordure du forum près du
temple de Jupiter quand il aperçut soudain sa Gradiva
devant lui à une faible distance : jusque-là l'idée de sa
présence en ces lieux ne l'avait pas effleuré, mais à cet
instant il réalisa d'un seul coup, comme quelque chose
de tout à fait naturel, que puisqu'elle était pompéienne,
elle vivait dans sa ville natale et, *sans qu'il s'en fût douté,
à la même époque que lui* » (p. 41). Sa frayeur, à l'idée
du destin qui attend la jeune femme, lui arrache un cri
d'alarme, sur quoi l'apparition qui s'avance d'un pas
paisible tourne vers lui son visage. Mais ensuite, elle
poursuit sa route avec insouciance, jusqu'au portique du
temple, là, elle s'assied sur une marche, sur laquelle elle
pose lentement sa tête, tandis que son visage pâlit peu
à peu comme s'il se transformait en marbre blanc. Lorsqu'il se précipite vers elle, il la trouve allongée, comme
endormie sur la large marche, avec une expression pai-

sible, jusqu'au moment où la pluie de cendres ensevelit son corps.

Lorsqu'il s'éveille, il croit entendre encore les cris confus des habitants de Pompéi en quête de secours et le sourd grondement de la mer agitée. Pourtant, même après avoir recouvré ses sens et reconnu, dans les bruits qui l'éveillent, les manifestations de la vie d'une cité bruyante, il continue encore longtemps à croire à la réalité de ce qu'il a rêvé; lorsqu'il s'est enfin libéré de l'idée qu'il a assisté en personne à la destruction de Pompéi voici près de deux mille ans, il continue à être vraiment persuadé que Gradiva a vécu à Pompéi et qu'elle y a été ensevelie en l'an 79. Ses fantaisies relatives à Gradiva se poursuivent dans les effets persistants de ce rêve, car il se met alors à en éprouver le deuil, comme d'une disparue.

Tandis que, prisonnier de ces pensées, il se penche à sa fenêtre, son attention se porte sur un canari qui, de sa cage, lance son chant à une fenêtre ouverte de la maison d'en face. Soudain, le jeune homme, qui n'est probablement pas encore tout à fait sorti de son rêve, se sent tressaillir. Il croit avoir aperçu dans la rue une silhouette semblable à celle de sa Gradiva, et reconnaît même sa démarche caractéristique; sans réfléchir, il se précipite dans la rue pour la rattraper et seuls les rires des gens qui se moquent de ses vêtements de nuit incongrus le font regagner précipitamment son domicile. Dans sa chambre, le chant du canari dans sa cage continue d'occuper ses pensées et l'amène à des comparaisons avec sa propre personne. Lui aussi, estime-t-il, est comme dans une cage, mais il lui est plus facile de s'en évader. Comme si le rêve continuait à agir sur lui et peut-être aussi sous l'influence de l'air tiède du printemps, la

38

décision d'un voyage printanier en Italie s'ébauche en lui, et il a tôt fait de lui trouver un prétexte scientifique, bien que « l'impulsion à faire un voyage lui fût venue d'un seul coup, sans qu'il pût en préciser l'origine secrète » (p. 49).

Arrêtons-nous un instant à ce voyage aux motifs étonnamment légers et examinons de plus près la personnalité et le comportement de notre héros. Il nous semble encore incompréhensible et peu sensé. Nous ne devinons pas par quelle voie sa folie particulière va se rattacher à l'humanité pour forcer notre sympathie. C'est le privilège de l'écrivain que de pouvoir nous laisser dans une telle incertitude; par la beauté de sa langue, le bonheur de son inspiration, il nous récompense provisoirement de la confiance que nous lui accordons et de la sympathie, encore imméritée, que nous sommes prêts à témoigner à son héros. De ce dernier, il nous apprend en outre que la tradition familiale l'a destiné à l'archéologie, que, dans son isolement et dans son indépendance ultérieurs, il s'est totalement plongé dans sa science et s'est complètement détourné de la vie et de ses plaisirs. Seuls, le marbre et le bronze sont vraiment vivants pour lui, eux seuls sont susceptibles d'exprimer le but et le prix de la vie humaine. Mais peut-être la nature, dans une intention bienveillante, a-t-elle mis dans son sang un correctif tout à fait étranger à la science, une imagination extrêmement vive qui peut se manifester non seulement dans les rêves mais aussi à l'état de veille. Par cette coupure entre l'imagination et l'intellect il est destiné à être un poète ou un névrosé, il appartient à ceux dont le royaume n'est pas de ce monde. C'est pourquoi son intérêt s'attache à un bas-relief représentant une jeune fille à la démarche particulière : il tisse autour d'elle ses fantaisies, il lui imagine un nom et une origine, il transporte cet être qu'il a créé dans la ville de Pompéi, ensevelie voici plus de 1 800 ans, et enfin, à la suite d'un singulier rêve d'angoisse, il élève cette fantaisie de l'existence et de la disparition de la jeune fille appelée Gradiva jusqu'à un délire qui influence ses actes. Ces produits de l'imagination nous paraîtraient étranges et opaques si nous les rencontrions chez un être qui existe réellement. Étant donné que notre héros Norbert Hanold est la création d'un romancier, nous aimerions demander timidement à ce dernier si l'imagination seule a décidé ou si elle a été soumise à d'autres puissances.

Nous avions quitté notre héros alors que le chant d'un canari l'a apparemment incité à faire un voyage en Italie, voyage dont les motifs ne lui sont visiblement pas clairs. Nous apprenons ensuite qu'il n'a pas fixé non plus le but ni l'objet de ce voyage. L'inquiétude et l'insatisfaction qui l'habitent le poussent à quitter Rome pour Naples et de là, à poursuivre sa route. Il tombe sur un essaim de jeunes mariés en voyage de noces et, contraint d'avoir affaire à de tendres « Auguste » et d'amoureuses « Grete », il se trouve tout à fait incapable de comprendre le comportement de ces couples. Il en arrive à la conclusion que parmi toutes les folies humaines « c'était certainement le mariage, en tant que la plus grande et la plus inconcevable, qui détenait la première place, et que leurs insensés voyages de noces en Italie remportaient en quelque sorte la palme de la sottise » (p. 51).

À Rome, troublé dans son sommeil par la proximité d'un couple d'amoureux, il s'enfuit aussitôt à Naples, pour ne retrouver là que d'autres « Auguste » et d'autres « Grete ». Comme il croit déduire de leurs conversations que la plupart de ces tourtereaux n'ont pas l'intention

de nicher au milieu des décombres de Pompéi mais de
s'envoler vers Capri, il décide de faire ce qu'ils ne feront
pas, et, « contre toute attente et sans en avoir eu l'intention », peu de jours après son départ, il se trouve à
Pompéi.

Mais sans y rencontrer la paix qu'il cherche. Le rôle
joué jusque-là par les couples de jeunes mariés qui ont
troublé son esprit et importuné ses pensées est maintenant
repris par les mouches, qui incarnent à ses yeux l'inutilité
et le mal absolu. Ces deux sortes d'esprits malins se
fondent pour lui en une seule espèce; bien des couples
de mouches lui rappellent des jeunes mariés en voyage
de noces et sans doute, dans leur langage, s'appellent-
ils aussi « mon Auguste chéri » et « ma douce Grete ».
Finalement, il ne peut s'empêcher de reconnaître que
« son insatisfaction ne provenait pas uniquement de ce
qui l'entourait mais trouvait aussi en partie son origine
en lui-même » (p. 61). Il sent qu'« il était de mauvaise
humeur parce qu'il lui manquait quelque chose, sans
pouvoir dire quoi ».

Le lendemain matin, il passe par l'*Ingresso* pour se
rendre à Pompéi et, après avoir congédié le guide, il
parcourt la ville au hasard; curieusement, il ne se souvient
pas alors que peu de temps auparavant, il a été témoin
en rêve de l'ensevelissement de Pompéi. Alors qu'à l'heure
« brûlante et sacrée » de midi, qui passait chez les Anciens
pour l'heure des esprits, les autres visiteurs ont pris la
fuite, tandis que les ruines s'étendent devant lui, désertées
41 et inondées de soleil, voilà que s'éveille en lui la faculté
de se replonger dans cette vie ensevelie, mais sans l'aide
de la science. « Ce qu'elle enseignait, c'était une vision
d'archéologue, dépourvue de vie, et ce qui sortait de sa
bouche, c'était une langue de philologue, morte. Rien

de tout cela n'aidait à concevoir quoi que ce soit avec l'âme, l'affectivité, le cœur, qu'on l'appelle comme on voudra, mais celui qui portait en lui ce désir-là devait venir ici, unique être vivant seul dans la brûlante tranquillité de midi parmi les débris du passé, pour ne plus voir avec les yeux du corps, ne plus entendre avec les oreilles de chair. Alors [...] les morts s'éveillaient et Pompéi commençait à revivre » (p. 70).

Tandis qu'il anime ainsi le passé par son imagination, il voit soudain, sans pouvoir en douter, la Gradiva de son bas-relief sortir d'une maison et, d'un pas léger, gagner, sur les pierres de lave, l'autre côté de la rue; elle est telle qu'il l'a vue en rêve, la nuit où elle s'est allongée comme pour dormir sur les marches du temple d'Apollon. « Avec ce souvenir quelque chose d'autre lui revint, dont il prit conscience pour la première fois : s'il était parti pour l'Italie sans avoir dans son for intérieur la moindre idée de ce qui l'y incitait et s'il avait poussé jusqu'à Pompéi sans s'arrêter à Rome et à Naples, c'était sûrement pour chercher à retrouver sa trace. Et une trace au sens propre du mot, car avec sa démarche bien particulière, ses orteils avaient dû laisser derrière elle dans la cendre une marque facile à repérer au milieu des autres » (p. 72).

La tension dans laquelle l'auteur nous a maintenus s'accroît ici jusqu'à nous rendre, pour un instant, péniblement désorientés. Non seulement notre héros a visiblement perdu son équilibre, mais nous non plus, nous ne savons que penser en face de cette apparition de Gradiva qui jusqu'alors avait été une image de pierre, puis une image de la fantaisie. Est-ce une hallucination de notre héros qu'égare le délire, un « véritable » fantôme ou un être en vie? Non pas qu'il nous soit nécessaire de 42

croire aux fantômes pour édifier cette série de suppositions. L'auteur qui a intitulé « fantaisie » son récit n'a
pas encore trouvé l'occasion de nous expliquer s'il veut
nous laisser dans notre monde décrié pour son prosaïsme
et dominé par les lois de la science, ou nous emmener
dans un autre monde fantastique, dans lequel les esprits
et les fantômes deviennent des réalités. Ainsi que le
montrent les exemples de *Hamlet,* de *Macbeth,* nous
sommes prêts à le suivre dans ce monde-là sans hésiter.
Dans ce cas, il conviendrait peut-être d'appliquer d'autres
critères pour mesurer le délire de cet archéologue doué
d'imagination. Et même, si nous considérons combien
doit être invraisemblable l'existence réelle d'une personne
qui reproduit fidèlement dans son apparence ce bas-relief
antique, notre série de suppositions se réduit à une
alternative : c'est une hallucination ou un fantôme de
midi. Un petit détail de la description nous fait écarter
alors bien vite la première possibilité. Un gros lézard est
allongé, immobile, dans la lumière du soleil, mais il
s'enfuit à l'approche du pied de Gradiva et se faufile
dans la rue, à travers les pierres de lave. Ainsi, ce n'est
pas une hallucination, c'est quelque chose qui se situe à
l'extérieur des sens de notre rêveur. Or la réalité d'une
rediviva pourrait-elle déranger un lézard?

Devant la maison de Méléagre, Gradiva disparaît.
Nous ne nous étonnons pas que Norbert Hanold, dans
son délire, aille jusqu'à imaginer que tout autour de lui
Pompéi a recommencé à vivre à midi, l'heure des esprits,
et que Gradiva, elle aussi ressuscitée, est entrée dans la
maison où elle demeurait avant ce fatal jour d'août de
l'an 79. Des suppositions ingénieuses au sujet de la personnalité du propriétaire de la maison, qui lui a sans
doute donné son nom, et au sujet des rapports de Gradiva

avec lui traversent son esprit et montrent que sa science s'est maintenant mise tout entière au service de sa fantaisie. Ayant pénétré à l'intérieur de cette maison, il découvre soudain une seconde fois l'apparition, qui est assise sur des marches basses, entre deux colonnes jaunes. 43 « Sur ses genoux était étalé quelque chose de blanc que le regard de Norbert n'était pas capable de distinguer nettement : cela paraissait être une feuille de papyrus... » [78] Se fondant sur sa dernière hypothèse concernant son origine, il lui adresse la parole en grec, et attend en tremblant de savoir si le don de la parole lui a été accordé dans sa vie de simulacre. Comme elle ne répond pas, il s'adresse à elle en latin. Alors elle laisse tomber de ses lèvres souriantes : « Si vous voulez parler avec moi, il faut le faire en allemand. » [79]

Quelle humiliation pour nous, lecteurs. Ainsi, l'auteur s'est moqué de nous aussi, et en quelque sorte comme en reflet de la fournaise de Pompéi, il nous a attirés dans un petit délire afin de nous faire porter un jugement plus indulgent sur le malheureux qui est exposé au vrai soleil de midi. Mais une fois remis de notre brève confusion, nous savons désormais que Gradiva est une jeune Allemande bien réelle, hypothèse que nous voulions précisément écarter comme étant la plus invraisemblable. Du haut de notre paisible supériorité, nous attendons maintenant de savoir quel rapport il y a entre la jeune fille et son image de pierre, et comment notre jeune archéologue en est arrivé aux fantaisies qui font conclure à l'existence réelle de Gradiva.

Mais notre héros n'est pas arraché aussi vite que nous à son délire, car « lorsqu'une croyance vous rend bienheureux, dit l'auteur, elle vous fait avaler à doses massives toute sorte d'autres invraisemblances » (p. 127), et de plus, ce délire a probablement, au fond de Hanold, des racines dont nous ne savons rien et qui n'existent pas chez nous. Il a certainement besoin d'un traitement énergique pour être ramené à la réalité. Pour l'instant, il ne peut qu'adapter son délire à l'expérience miraculeuse qu'il vient de faire. Gradiva, qui a péri dans l'ensevelissement de Pompéi, ne peut être qu'un fantôme de midi qui revient à l'existence pendant la brève heure des esprits. Mais pourquoi, après cette réponse donnée en allemand, lui échappe-t-il cette exclamation : « J'étais sûr que tu avais cette voix-là. »? Nous ne sommes pas les seuls à nous poser la question; la jeune fille aussi est obligée de la poser, et Hanold est obligé de reconnaître qu'il n'a encore jamais entendu cette voix, mais qu'il s'attendait à l'entendre naguère, dans son rêve, quand il l'avait appelée, tandis qu'elle s'allongeait pour dormir sur les marches du temple. Il lui demande de le faire à nouveau, mais alors elle se lève, lui lance un regard déroutant et, après quelques pas, disparaît entre les colonnes de la cour. Peu auparavant, un beau papillon a voleté plusieurs fois autour d'elle; selon l'interprétation de l'archéologue, c'est un messager de l'Hadès qui doit exhorter la défunte à y faire retour, puisque l'heure des esprits de midi est écoulée. Hanold peut encore lancer à la jeune fille qui disparaît : « Reviendras-tu ici demain à l'heure de midi? » Mais il nous semble, à nous qui nous risquons maintenant à des interprétations plus terre à terre, que la jeune femme a vu dans la demande que lui a adressée Hanold quelque chose d'inconvenant et que, offensée, elle l'a quitté pour cela, puisqu'elle ignorait tout de son rêve. Sa sensibilité n'aurait-elle pas perçu la nature érotique d'une telle demande, motivée aux yeux de Hanold par son rapport avec le rêve?

Après la disparition de Gradiva, notre héros examine tous les hôtes qui s'attablent à l'Hôtel Diomède, puis ceux de l'Hôtel Suisse, et il est alors en mesure de se dire qu'il ne peut trouver dans aucun des deux seuls établissements qu'il connaît à Pompéi une personne qui ait la moindre ressemblance avec Gradiva. Bien entendu, il aurait rejeté comme absurde l'espoir de rencontrer réellement Gradiva dans un de ces deux hôtels. Le vin cuvé sur le sol brûlant du Vésuve contribue alors à renforcer le vertige dans lequel il passe la journée.

Pour le lendemain, une seule chose est sûre : Hanold doit se trouver à nouveau dans la Maison de Méléagre à midi et, en attendant cette heure, il pénètre dans Pompéi en franchissant l'ancien mur de la ville par un chemin non autorisé. Un rameau d'asphodèle garni de clochettes blanches lui semble assez chargé de sens en tant que fleur des enfers pour qu'il le cueille et l'emporte avec lui. Mais, pendant son attente, toute sa science de l'Antiquité lui paraît la chose la plus inutile et la plus indifférente du monde car un autre intérêt s'est emparé de lui ; il veut savoir « comment est constituée l'enveloppe physique d'un être comme Gradiva, qui est à la fois mort et vivant − et encore, pour ce dernier cas, seulement durant l'heure de midi propice aux fantômes » (p. 87). Il redoute aussi de ne pas rencontrer ce jour-là celle qu'il cherche car elle ne sera peut-être autorisée à revenir que dans très longtemps, et lorsqu'il l'aperçoit à nouveau entre les colonnes, il prend son apparition pour un jeu trompeur de son imagination, ce qui lui arrache cette douloureuse exclamation : « Oh, si seulement tu existais, si seulement tu étais encore vivante ! » (p. 88). Pourtant, cette fois, il a été manifestement trop critique, car l'apparition dispose d'une voix qui lui demande s'il vient lui apporter la fleur blanche, et entraîne notre héros, à nouveau déconcerté, dans une longue conversation. À nous, lecteurs, qui nous intéressons déjà à Gradiva en tant que personne vivante, l'auteur apprend que le regard mécontent et hostile qu'elle avait jeté la veille à Hanold a fait place à une interrogation, un désir de savoir pleins de curiosité. Et en effet, elle l'assaille de questions, elle demande qu'il lui explique sa remarque de la veille, elle veut savoir à quel moment il se trouvait près d'elle lorsqu'elle s'était allongée pour dormir, elle apprend ainsi le rêve au cours duquel elle a péri avec sa ville natale, puis l'existence du bas-relief et de la position de son pied qui a tant attiré l'archéologue. Maintenant, elle est en outre disposée à faire la démonstration de sa démarche, et Norbert constate alors, que la seule différence par rapport à l'image originale de Gradiva, c'est que les sandales ont fait place à des chaussures de cuir fin, de couleur sable clair, mieux adaptées, selon celle-ci, au temps présent. Manifestement elle entre dans le délire de l'archéologue, dont elle lui fait révéler toute l'ampleur, 46 sans jamais le contredire. Une seule fois, sous le coup d'un affect qu'elle éprouve elle-même, elle semble faillir à son rôle : lorsque Hanold, tout à son bas-relief, affirme qu'il l'a reconnue au premier coup d'œil. Comme, à ce stade de la conversation, elle ne sait encore rien du bas-relief, elle est sur le point de se méprendre sur les paroles de Hanold, mais elle se reprend aussitôt; c'est pour nous seulement que certains des propos de Gradiva semblent à double sens, semblent désigner quelque chose de réel et d'actuel, en dehors de ce qu'ils signifient dans le contexte du rêve, comme par exemple lorsqu'elle regrette que l'archéologue n'ait pas réussi à observer la démarche de Gradiva dans la rue. « Dommage [...] tu n'aurais peut-être pas eu besoin de te lancer dans ce long voyage jusqu'ici » (p. 93). Elle apprend aussi qu'il a appelé « Gradiva » le bas-relief qui la représente et lui dit son véritable nom : Zoé. « Ce nom te va bien mais il sonne à mon oreille comme une amère ironie car Zoé veut dire " la vie " » (p. 93). « Il faut accepter l'inéluctable, répond-elle, et je me suis depuis longtemps habituée à être morte. » Avec la promesse de se trouver à nouveau le lendemain au même endroit, à l'heure de midi, elle prend congé de lui, après l'avoir encore prié de lui donner le rameau d'asphodèles. « À celles qui ont davantage de chance, c'est des roses qu'on offre au printemps, mais moi, c'est la fleur de l'oubli que je dois recevoir de ta main » (p. 94). Sans doute la mélancolie sied-elle à une personne morte depuis si longtemps, qui n'est revenue à la vie que pour de brèves heures.

Nous commençons maintenant à comprendre et à prendre espoir. Si la jeune femme sous l'aspect de laquelle Gradiva est ressuscitée accepte si pleinement le délire de Hanold, elle le fait sans doute pour l'en libérer. Il n'y a pas d'autre moyen de le faire; en le contredisant, elle se fermerait toute possibilité d'y parvenir. Même dans la réalité, le traitement sérieux d'un tel mal ne pourrait se faire autrement qu'en se plaçant d'abord sur le terrain de la construction délirante, pour procéder ensuite à une investigation aussi complète que possible. Si Zoé est la 47 personne qui convient en ce cas, nous apprendrons sans doute de quelle manière on guérit un délire comme celui de notre héros. Nous aimerions bien savoir aussi comment naît un tel délire. Ce serait une chose étrange, mais non sans exemple ni sans équivalent, que de voir coïncider le traitement et l'investigation du délire, et l'origine de celui-ci s'expliquer précisément au moment où il se dissipe. Certes, nous pressentons que dans notre cas la maladie pourrait s'achever par une « banale » histoire d'amour mais on ne doit pas dédaigner la puissance thérapeutique de l'amour dans un cas de délire, et l'engouement de notre héros pour l'image de sa Gradiva n'est-il pas aussi un véritable état amoureux, orienté encore, sans doute, vers le passé et l'inanimé?

Après la disparition de Gradiva, seul retentit encore dans le lointain comme l'appel rieur d'un oiseau qui passe au-dessus de la ville en ruine. Le jeune homme resté seul ramasse quelque chose de blanc que Gradiva a laissé derrière elle; ce n'est pas une feuille de papyrus mais un carnet d'esquisses avec des dessins au crayon représentant divers aspects de Pompéi. Nous dirions qu'elle a laissé un gage de son retour en oubliant le petit carnet à cet endroit, car nous affirmons qu'on n'oublie rien sans raison secrète ou sans mobile caché.

Le reste de la journée apporte à notre héros toutes sortes de découvertes et de constatations curieuses qu'il néglige d'agencer en un tout. Dans le mur du portique où Gradiva a disparu, il aperçoit ce jour-là une étroite fente, assez large cependant pour laisser passer une personne d'une sveltesse inhabituelle. Il découvre qu'ici Zoé-Gradiva n'a pas besoin de disparaître dans le sol, idée d'ailleurs si absurde qu'il a honte d'y avoir cru et l'écarte désormais; c'est le chemin qu'elle utilise pour regagner sa tombe. Il croit voir se dissoudre une ombre légère à l'extrémité de la voie des Tombeaux, devant la Villa dite de Diomède. Dans le même état de vertige que le jour précédent, et occupé par les mêmes problèmes, il erre maintenant aux alentours de Pompéi. Quelle peut bien être, se demande-t-il, la nature corporelle de Gradiva et sentirait-on quelque chose si on touchait sa main?

Un élan singulier le pousse à vouloir tenter cette expérience et pourtant une timidité tout aussi grande le retient de la faire même en pensée. Sur un chaud versant ensoleillé, il rencontre un monsieur d'un certain âge qui, d'après son équipement, doit être un zoologiste ou un botaniste et qui semble occupé à capturer quelque chose. Cet homme se tourne vers lui et lui dit : « Est-ce que vous vous intéressez aussi au *Faraglionensis* ? J'ai eu du mal à le croire, mais il me paraît tout à fait vraisemblable qu'il ne vit pas seulement sur les Faraglioni, au large de Capri : on peut aussi en trouver sur le continent, avec de la patience. Le moyen indiqué par mon collègue Eimer [a] est réellement bon, je l'ai déjà employé à plusieurs reprises avec plein succès. S'il vous plaît, tenez-vous tranquille » (p. 98). Puis il s'interrompt et présente un nœud coulant fait d'une longue tige d'herbe devant une fente du rocher d'où émerge la petite tête aux reflets bleus d'un lézard. Hanold quitte le chasseur de lacertiliens avec l'idée critique qu'on a peine à imaginer les projets bizarres et insensés qui peuvent inciter certaines personnes à entreprendre le long voyage de Pompéi : bien entendu, dans cette critique, il n'inclut pas plus sa personne que son intention de rechercher dans la cendre de Pompéi l'empreinte des pieds de Gradiva. Par ailleurs, le visage de l'homme ne lui semble pas inconnu, comme s'il l'avait aperçu dans un des deux hôtels : celui-ci, au surplus, lui a adressé la parole comme à une connaissance Comme il poursuit sa route, un chemin de traverse le conduit jusqu'à une maison qu'il n'a pas encore découverte et qui se révèle être un troisième hôtel, l'*Albergo del Sole*. L'hôtelier, qui se trouve inoccupé, saisit l'oc-

a. Theodor Eimer, zoologiste suisse (1843-1898).

casion pour lui recommander chaudement sa maison ainsi
que les trésors exhumés qu'elle contient. Il affirme qu'il
49 se trouvait présent lorsqu'on a découvert, aux environs
du Forum, les deux jeunes amoureux qui, voyant venir
leur fin inéluctable, s'étaient étroitement enlacés et
avaient ainsi attendu la mort. Hanold en a déjà entendu
parler auparavant et avait haussé les épaules, pensant
que c'était là une fable inventée par quelque conteur
à l'imagination fertile; ce jour-là, cependant, les propos
de son interlocuteur éveillent sa conviction, qui se
renforce encore quand l'hôtelier va chercher une fibule
de métal recouverte d'une patine verte, qui aurait été
recueillie en sa présence, dans la cendre, à côté des
restes de la jeune fille. Hanold fait l'achat de cette
fibule sans plus de doutes ni de critiques, et lorsque,
à sa sortie de l'*Albergo,* il voit, à une fenêtre ouverte,
un rameau d'asphodèle couvert de fleurs blanches s'incliner et lui faire signe, la vue de cette fleur funéraire
le frappe soudain comme une confirmation de l'authenticité de sa nouvelle acquisition.

Mais, avec cette fibule, un nouveau délire s'est emparé
de lui, ou plutôt l'ancien s'est complété d'un petit prolongement, ce qui n'est apparemment pas de bon augure
pour la thérapie qu'il vient de commencer. Non loin du
Forum, on a exhumé un jeune couple d'amoureux étroitement enlacés et c'est précisément à cet endroit qu'en
rêve, il a vu Gradiva s'allonger pour dormir près du
temple d'Apollon. Ne serait-il pas possible qu'en réalité,
elle ait poussé plus loin que le Forum pour aller à la
rencontre de quelqu'un, et qu'ensuite, ils soient morts
ensemble? Un sentiment torturant que nous pouvons
peut-être assimiler à de la jalousie naît de cette hypothèse.
Il l'apaise en se référant au caractère incertain de la

conjecture et se remet suffisamment pour pouvoir dîner à l'Hôtel Diomède. Deux nouveaux arrivants, un « lui » et une « elle », dont une certaine ressemblance lui fait penser qu'ils sont frère et sœur – bien que leurs cheveux soient de couleur différente –, attirent son attention. De tous ceux qu'il a rencontrés au cours de son voyage, ce sont les premiers à susciter en lui une impression de sympathie. La rose rouge de Sorrente que porte la jeune fille éveille en lui un souvenir, sans qu'il puisse se rappeler lequel. Finalement, il va se coucher et fait un rêve; c'est un fatras curieusement absurde mais manifestement formé d'un amalgame des expériences de la journée. « Quelque part au soleil était assise Gradiva en train de faire avec un brin d'herbe un nœud coulant afin d'attraper un lézard, et elle disait en même temps : " S'il te plaît, tiens-toi tranquille, ma collègue a raison, le moyen est réellement bon, et elle l'a employé avec plein succès... " » (p. 103). Encore endormi, il se défend contre ce rêve par la critique, en se disant que c'est là pure folie et il réussit à s'en débarrasser grâce à un oiseau invisible qui pousse un bref appel rieur et emporte le lézard dans son bec.

En dépit de toutes ces apparitions, il s'éveille plutôt serein et raffermi. Un buisson de roses chargé de fleurs semblables à celle qu'il a vue la veille sur le corsage de la jeune femme lui remet en mémoire que, dans la nuit, quelqu'un avait dit qu'au printemps on donnait des roses. Sans y penser, il en cueille quelques-unes, et il doit s'attacher à ces fleurs quelque chose qui exerce un effet libérateur dans son esprit. Délivré de sa sauvagerie, il se rend à Pompéi par le chemin habituel, chargé de ces roses, de la fibule de métal et du carnet d'esquisses, occupé aussi de divers problèmes qui ont

50

trait à Gradiva. L'ancien délire commence à présenter
des failles, il se met à avoir des doutes : Gradiva ne
peut-elle être à Pompéi qu'à l'heure de midi et non
pas à d'autres moments aussi? Cependant, l'accent s'est
déplacé sur l'élément venu en dernier, et la jalousie qui
s'y attache le tourmente sous toutes sortes de déguisements. Il aurait presque souhaité que l'apparition ne
reste visible qu'à ses yeux et se soustraie à la perception
des autres; ainsi il pourrait la considérer malgré tout
comme sa propriété exclusive. Alors qu'il erre dans l'at-
51 tente de midi, il fait une rencontre surprenante. Dans la
Casa del Fauno, il aperçoit deux silhouettes qui doivent
se croire à l'abri des regards dans leur recoin, car elles
se tiennent enlacées, les lèvres jointes. Avec étonnement
il reconnaît en eux le couple sympathique de la veille
au soir. Mais leur comportement du moment, leur étreinte
et leur baiser lui paraissent durer trop longtemps pour
un frère et une sœur; donc il s'agit bien d'un couple
d'amoureux, vraisemblablement de jeunes mariés, encore
une fois un Auguste et une Grete. Chose curieuse, cette
vue ne suscite alors en lui rien d'autre que de la satisfaction et craintivement, comme s'il avait troublé un
exercice de dévotion accompli en secret, il se retire sans
se laisser voir. Un respect qui lui a longtemps fait défaut
est réapparu en lui.

Quand il arrive devant la maison de Méléagre, il est
encore une fois envahi d'une angoisse si violente de
trouver Gradiva en compagnie d'un autre que, devant
son apparition, il n'a pour la saluer que la question : es-
tu seule? C'est avec difficulté qu'il se laisse amener par
son interlocutrice à prendre conscience qu'il a cueilli les
roses pour elle; il lui confesse son dernier délire : qu'il
voit en elle la jeune fille qui a été trouvée sur le Forum

dans les bras de son bien-aimé et à qui la fibule verte avait appartenu. Non sans ironie, elle lui demande si par hasard il n'aurait pas trouvé l'objet au soleil. Celui-ci – appelé *sole* dans ce pays – provoque selon elle toutes sortes d'illusions de ce genre. Pour guérir le vertige qu'il avoue ressentir dans sa tête, elle lui propose de partager sa collation avec elle et lui offre la moitié d'un petit pain blanc enveloppé dans du papier de soie, dont elle mange elle-même l'autre moitié avec un visible appétit. Ses dents parfaites brillent alors entre ses lèvres et en mordant la croûte elles produisent un léger craquement. À la question de la jeune fille : « J'ai comme l'impression qu'une fois déjà nous avons mangé notre pain ensemble, il y a deux mille ans. Tu ne te rappelles pas ? » (p. 112), Hanold ne sait que répondre, mais la nourriture qui a fortifié sa tête, tous les signes de présence qu'elle lui donne ne manquent pas de produire leur effet sur le jeune homme. La raison s'éveille en lui et met en doute tout le délire qui lui faisait croire que Gradiva n'était qu'un fantôme de midi ; cependant, on peut objecter qu'elle vient de dire elle-même qu'elle a partagé un repas avec lui, deux mille ans auparavant. Dans ce dilemme, une expérience s'offre à Hanold pour lui permettre de trancher, et il la fait adroitement, avec un courage retrouvé. La main gauche de Gradiva, avec ses doigts effilés, repose tranquillement sur les genoux de la jeune fille et une de ces mouches dont l'insolence et l'inutilité l'ont déjà tellement outré vient s'y poser. Brusquement, la main de Hanold se lève puis s'abat en une tape qui n'est pas légère sur la mouche et sur la main de Gradiva.

Cette tentative hardie a un double résultat : d'abord la conviction joyeuse d'avoir touché une main humaine chaude et vivante, incontestablement réelle, mais aussi une réprimande qui le fait bondir avec effroi de la marche sur laquelle il s'était assis. Car les lèvres de Gradiva, une fois qu'elle s'est remise de sa stupéfaction, laissent tomber : « Il n'y a vraiment aucun doute, tu es fou, Norbert Hanold ! » Il est bien connu que le meilleur moyen d'éveiller un dormeur ou un somnambule, c'est de l'appeler par son propre nom. Malheureusement on ne pourra observer les conséquences qu'a pour Norbert Hanold le fait que Gradiva l'a appelé par son nom, ce nom qu'il n'a communiqué à personne à Pompéi. En effet, à cet instant critique, surgit le sympathique couple d'amoureux de la *Casa del Fauno,* et la jeune femme s'exclame sur un ton de joyeuse surprise : « Zoé ! Toi aussi à Pompéi ? Et aussi en voyage de noces ? Et tu ne m'en as même pas écrit un mot ! » [114] Devant cette nouvelle preuve de la réalité vivante de Gradiva, Hanold prend la fuite.

Zoé-Gradiva n'a pas été très agréablement surprise par cette rencontre imprévue qui la dérange dans un travail, semble-t-il, important. Mais elle se ressaisit vite et répond à la question par un discours volubile, dans lequel elle donne à son amie, et plus encore à nous, des renseignements sur la situation, et grâce auquel elle arrive à se débarrasser du jeune couple. Elle lui adresse des félicitations mais ajoute qu'elle-même n'est pas en voyage de noces. « Le jeune homme qui vient de partir est même atteint d'une extravagante fantasmagorie, on dirait : il croit qu'une mouche lui bourdonne dans la tête ! Allons, chacun de nous a bien son petit insecte ! Obligatoirement, j'ai des notions d'entomologie et cela me permet d'être de quelque utilité en pareille circonstance. Mon père et moi habitons au *Sole,* il lui a pris, à lui aussi, une lubie et en plus la fantaisie bien inspirée de m'amener ici avec lui à condition que je me prenne en main pour m'occuper dans Pompéi et que je ne vienne pas lui demander quoi que ce soit. Je me disais que j'arriverais bien toute seule à déterrer quelque chose d'intéressant ici. En vérité, à aucun moment je n'avais compté sur la trouvaille que j'ai faite – je veux dire la chance de tomber sur toi, Gisa » (p. 116-117). Mais maintenant elle doit se hâter de partir pour tenir compagnie à son père à la table du *Sole*. Et elle s'éloigne après s'être présentée à nous comme la fille du zoologiste chasseur de lézards et avoir reconnu par toutes sortes de propos à double sens ses intentions de thérapeute ainsi que d'autres, cachées. Cependant, la direction qu'elle prend n'est pas celle de l'auberge du Soleil où son père l'attend mais il lui semble, à elle aussi, qu'aux environs de la Villa de Diomède, une ombre cherche son tumulus et disparaît sous un des monuments funéraires ; c'est pourquoi elle dirige ses pas, le pied chaque fois dressé presque à la verticale, vers la voie des Tombeaux. C'est là que, dans sa confusion et son désarroi, Hanold s'est réfugié, qu'il va et vient inlassablement sous le portique du jardin, occupé à résoudre par un effort de pensée, ce qui subsiste de son problème. Une chose est devenue pour lui d'une clarté irréfutable : il a fait preuve d'une totale déraison en croyant avoir rencontré une jeune Pompéienne, plus ou moins revenue à la vie sous une enveloppe charnelle, et cette claire découverte [a] de sa folie constitue incontestablement un pas essentiel sur le chemin du retour à la saine raison. Mais d'autre part, cette vivante que d'autres fréquentent comme une personne également vivante est

a. *Einsicht.* Ce mot formé du préfixe *ein*, « dans », et de *Sicht*, « vue » (angl. *insight*) sera toujours traduit par « découverte », sauf p. 242 où il est rendu par « intuition ».

Gradiva, et elle connaît son nom à lui ; pour résoudre cette énigme, la raison à peine éveillée de Hanold n'est pas assez forte. Il ne se sent pas assez calme non plus pour être à la hauteur d'une entreprise aussi difficile, car il aurait préféré avoir été enseveli lui aussi deux mille ans plus tôt dans la Villa de Diomède, rien que pour être sûr de ne plus rencontrer Zoé-Gradiva.

Un désir ardent de la revoir lutte cependant contre le reste d'envie de fuir qui persiste en lui.

Au détour de l'un des quatre angles du portique, il bondit soudain en arrière. Sur un pan de mur en ruine se tient une des jeunes filles qui avaient trouvé la mort en ce lieu, dans la Villa de Diomède. Mais ce sera la dernière tentative, bientôt abandonnée, de se réfugier dans le royaume de la folie. Il s'agit bien entendu de Gradiva, venue manifestement lui apporter ce qui manque encore à son traitement. Celle-ci interprète très justement le premier mouvement instinctif de Hanold comme une tentative de quitter les lieux, et lui représente qu'il ne peut s'échapper car, dehors, une terrible averse s'est mise à tomber. Sans pitié, elle commence son enquête en lui demandant où il voulait en venir avec cette mouche posée sur sa main. Il ne trouve pas le courage d'employer un certain pronom mais il a celui, plus important, de poser la question décisive :

« J'avais... comme on dit... la cervelle un peu embrouillée et je m'excuse pour cette main d'avoir ainsi... je n'arrive pas à comprendre comment j'ai pu être aussi stupide... mais il ne me paraît pas non plus facile de comprendre comment la propriétaire de cette main a pu me reprocher mon... mon coup de folie en m'appelant par mon nom » (p. 123).

« Pour ce qui est de comprendre, on ne peut pas dire

que tu aies fait de grands progrès, Norbert Hanold! Il
est vrai que cela ne me surprend pas, car tu m'y as
habituée depuis un bout de temps. Pour en refaire
l'expérience, je n'avais pas besoin de venir à Pompéi, tu
aurais pu me le confirmer à cent bonnes lieues d'ici! »

« À cent bonnes lieues d'ici, en face de ton appartement, en biais, dans la maison qui fait l'angle, à ma
fenêtre il y a une cage avec un canari », voilà ce qu'elle
révèle maintenant au jeune homme qui ne comprend
toujours rien.

Ce dernier mot touche celui qui l'écoute comme un
souvenir venu de très loin. Il s'agit en effet de l'oiseau
même dont le chant lui a inspiré la décision d'entreprendre ce voyage en Italie.

« Dans cette maison habite mon père, le professeur de
zoologie Richard Bertgang. »

Étant sa voisine, elle connaît donc la personne de son
interlocuteur et son nom. Une plate explication, indigne
de notre attente, risque ici de nous décevoir.

Norbert Hanold montre qu'il n'a pas encore pleinement recouvré ses sens lorsqu'il répète : « Mais alors vous
êtes... vous êtes... mademoiselle Zoé Bertgang? Pourtant,
je ne la voyais pas du tout comme ça... »

La réponse de Mlle Bertgang montre alors qu'il existe
aussi entre les deux jeunes gens d'autres relations que
celles de voisinage. Elle sait prendre parti pour le « tu »
familier, qu'il avait adressé naturellement au fantôme de
midi puis retiré devant la vivante, mais pour lequel elle
fait valoir des droits anciens. « Si tu trouves cette façon
d'adresser la parole plus convenable entre nous, je peux
aussi l'employer, mais l'autre m'est venue plus naturellement, au bout de la langue. Je ne sais pas si autrefois,
lorsqu'on se rencontrait tous les jours comme de bons

amis pour aller courir ensemble et quelquefois même
56 échanger des coups de poing ou de pied, tu ne me voyais
pas comme ça. Mais si ces dernières années il vous était
arrivé une seule fois de faire attention à moi et de me
regarder, vos yeux se seraient peut-être ouverts et vous
auriez vu que je suis comme ça depuis déjà pas mal de
temps. » [124-125]

⁀Ainsi il y a eu entre eux une amitié d'enfance, peut-
être un amour d'enfance et c'est de là que le tutoiement
tire sa justification. Cette explication n'est-elle peut-être
pas tout aussi plate que celle que nous supposions d'abord?
Mais s'il nous vient à l'esprit que ces relations enfantines
expliquent de façon insoupçonnée maints détails des
rapports actuels, nous sommes amenés à aller bien plus
au fond des choses. Cette claque sur la main de Zoé-
Gradiva, que Norbert Hanold a si excellemment justifiée
par le besoin de résoudre, par l'expérience, la question
de la réalité corporelle de l'apparition ne ressemble-
t-elle pas curieusement, par ailleurs, à une reviviscence
de l'impulsion à « échanger des coups de poing ou de
pied », impulsion prédominante dans leur enfance, ainsi
qu'en ont témoigné les paroles de Zoé? Et lorsque Gradiva demande à l'archéologue s'il n'a pas l'impression
qu'ils ont déjà partagé un jour leur repas deux mille ans
auparavant, cette question incompréhensible ne prend-
elle pas soudain un sens si, à ce passé historique, nous
substituons le passé personnel, une fois de plus l'enfance,
dont les souvenirs sont restés vivants chez la jeune fille,
alors que le jeune homme paraît les avoir oubliés? Et
l'idée ne s'éveille-t-elle pas soudain en nous que les
fantaisies du jeune archéologue au sujet de sa Gradiva
pourraient être un écho de ses souvenirs d'enfance oubliés?
Alors, elles ne seraient donc pas des productions arbi-

traires de son imagination, mais seraient déterminées, sans qu'il le sache, par le matériel des impressions d'enfance, matériel qu'il a oublié mais qui existe et agit toujours en lui. Il nous faudrait pouvoir prouver dans le détail cette origine des fantaisies, ne serait-ce que par des suppositions. Lorsque, par exemple, il faut absolument que Gradiva soit d'origine *grecque*, la fille d'un homme en vue, peut-être d'un prêtre de Cérès, ceci s'accorde assez bien avec l'effet produit par son nom grec de Zoé et son appartenance à la famille d'un professeur de zoologie (toutes choses qu'il connaissait). Mais si les fantaisies de Hanold sont des souvenirs transformés, nous pouvons espérer trouver dans les propos de Zoé Bertgang une indication concernant les sources de ces fantaisies. Prêtons bien l'oreille; elle nous a parlé d'une amitié intime dans les années d'enfance, nous allons apprendre maintenant quel a été chez tous deux le développement ultérieur de cette relation enfantine.

« À ce moment-là, c'est-à-dire jusqu'à l'âge où on nous dit je ne sais pourquoi " merlans frits ", je m'étais habituée à ressentir pour vous une affection à vrai dire étrange, je croyais que jamais je ne trouverais sur terre un ami plus agréable. Je n'avais pas de mère, pas de frère ou de sœur, mon père trouvait sensiblement plus d'intérêt à un orvet conservé dans l'alcool qu'à ma personne, et il faut bien que chacun, y compris une jeune fille, se trouve quelque chose pour occuper ses pensées et tout ce qui va avec. Ce quelque chose, à ce moment-là, c'était vous; mais lorsque vous vous êtes jeté à corps perdu dans l'étude de l'Antiquité, j'ai fait cette découverte que pour ce qui est de toi... excusez-moi, mais votre innovation si convenable m'agace les oreilles et elle ne facilite pas ce que j'ai à dire... je disais donc qu'il m'était apparu alors que tu étais devenu un homme insupportable qui, du moins en ce qui me concerne, n'avait pas d'yeux pour voir, plus de langue pour parler, plus de mémoire pour conserver, comme je l'avais fait, ce qui se rapporte à notre amitié d'enfance. Voilà pourquoi, en fait, je ne ressemblais plus à tout ce que j'étais avant : lorsqu'il m'arrivait de te rencontrer ici ou là à une réception, et pas plus tard que l'hiver dernier, tu ne me voyais pas et je parvenais encore moins à te tirer une parole, en quoi d'ailleurs, je n'étais pas traitée d'une manière spéciale puisque tu faisais exactement pareil avec tout le monde. J'étais pour toi transparente comme de l'air, et avec cette touffe de cheveux blonds qu'il m'était arrivé de tirer autrefois, tu étais aussi ennuyeux, desséché et peu bavard qu'un cacatoès empaillé et en même temps aussi imposant qu'un… *archéoptéryx,* oui, je crois que c'est le nom de ces monstrueux oiseaux fossiles d'avant le déluge. Mais que ta cervelle ait hébergé une fantaisie aussi imposante elle aussi, que de m'avoir prise, ici à Pompéi, pour un être sorti de terre et revenu à la vie, voilà quelque chose que je n'attendais pas de toi, et lorsque tu es apparu à l'improviste devant moi, j'ai eu beaucoup de peine, au début, à m'y retrouver dans l'incroyable fantasmagorie tissée par ton imagination. Puis cela m'a amusée, et j'y ai pris pas mal de plaisir, malgré le côté histoire de fous de la chose. Car, comme je te l'ai dit, je ne m'attendais pas à cela de ta part. » [125-127]

Donc, elle nous dit fort clairement ce qu'avec les années il est advenu chez tous deux de leur amitié d'enfance. Chez elle, elle s'est accrue jusqu'à devenir un véritable attachement amoureux car il faut bien qu'une jeune fille ait quelque chose à quoi attacher son cœur. Mˡˡᵉ Zoé qui est l'incarnation de l'intelligence et de la

clarté nous rend aussi sa vie psychique tout à fait transparente. Si c'est déjà une règle générale pour une jeune
fille normale de tourner d'abord son affection vers son
père, Zoé y est tout particulièrement préparée puisqu'elle
n'a pour toute famille que son père. Mais ce père n'a
rien à lui donner, les objets de sa science ont capté tout
son intérêt. Aussi lui a-t-il fallu rechercher une autre
personne, et elle s'est attachée au compagnon de jeux de
son enfance avec une tendresse particulière. Et lorsque
celui-ci n'a plus eu d'yeux pour elle, lui non plus, cela
n'a pas troublé l'amour de Zoé, mais l'a fait croître au
contraire car Hanold est devenu semblable à son père;
il est comme lui absorbé par la science qui le tient
éloigné de la vie et de Zoé. Ainsi lui est-il permis de
rester encore fidèle dans l'infidélité, de retrouver le père
dans l'aimé, de les rassembler tous deux dans le même 59
sentiment ou bien, pouvons-nous dire, de les identifier
l'un à l'autre dans son affectivité. D'où tirons-nous la
justification de cette petite analyse psychologique qui
pourrait facilement passer pour arbitraire? L'auteur nous
l'a donnée dans un seul détail mais il est hautement
caractéristique. Lorsque Zoé décrit la transformation si
affligeante pour elle de son ancien compagnon de jeux,
elle le semonce en le comparant à l'archéoptéryx, cet
oiseau monstrueux qui appartient à l'archéologie de la
zoologie. Ainsi elle a trouvé, pour identifier les deux
personnes, une seule expression concrète : son ressenti-
ment atteint du même mot l'homme aimé et le père.
L'archéoptéryx est pour ainsi dire la représentation de
compromis, la représentation intermédiaire dans laquelle
se rejoignent l'idée de la folie de l'aimé et celle de la
folie analogue du père.

Chez le jeune homme, les choses ont pris un autre

cours. La science de l'Antiquité s'est emparée de lui et ne lui a laissé de l'intérêt que pour des femmes de pierre ou de bronze. L'amitié enfantine a disparu, au lieu de se renforcer jusqu'à devenir une passion, et les souvenirs de cette amitié ont sombré dans un oubli si profond qu'il ne reconnaît plus la compagne de sa jeunesse et ne prête pas attention à elle quand il la rencontre en société. Certes, si nous considérons la suite, nous pouvons douter que « l'oubli » soit bien le terme psychologique exact qui s'applique au sort de ces souvenirs chez notre archéologue. Il y a une façon d'oublier qui se caractérise par la difficulté avec laquelle le souvenir est éveillé, même par des appels extérieurs puissants, comme si une résistance intérieure s'insurgeait contre sa reviviscence. Cette sorte d'oubli a reçu en psychopathologie le nom de « refoulement »; le cas que nous présente notre auteur semble être un tel exemple de refoulement. Nous ne savons pas, d'une manière très générale, si l'oubli d'une impression est lié à la disparition de sa trace mnésique dans la vie de l'âme, mais nous pouvons affirmer en toute certitude en ce qui concerne le « refoulement » qu'il ne coïncide pas avec la disparition, l'extinction du souvenir. Certes, le refoulé ne peut généralement pas s'imposer sans plus en tant que souvenir, mais il demeure capable d'agir et de produire des effets; un jour il fait apparaître sous l'influence d'une action extérieure des conséquences psychiques que l'on peut concevoir comme des produits de transformation et des descendants du souvenir oublié, et qui restent incompréhensibles si on ne les conçoit pas comme tels. Dans les fantaisies de Norbert Hanold au sujet de Gradiva nous avons cru reconnaître les descendants de ses souvenirs refoulés concernant son amitié d'enfance avec Zoé Bertgang. On peut attendre un semblable retour du refoulé avec une régularité particulière quand les sentiments érotiques de quelqu'un sont attachés aux impressions refoulées, quand sa vie amoureuse a été atteinte par le refoulement. Dans ces cas, le vieux dicton latin qui, peut-être, s'appliquait à l'origine à l'expulsion par des influences extérieures et non pas à des conflits internes reste toujours aussi vrai : *Naturam furca expellas, semper redibit* [a]. Mais il ne dit pas tout, il annonce seulement le fait du retour de la part de nature qui a été refoulée et ne décrit pas la manière extrêmement curieuse dont s'effectue ce retour, qui s'accomplit en quelque sorte par une trahison sournoise. C'est précisément ce qui avait été choisi comme moyen du refoulement – comme la *furca* du dicton – qui devient le porteur de ce qui revient : dans et derrière l'instance refoulante, le refoulé finit par s'affirmer victorieusement. Une gravure célèbre de Félicien Rops illustre de manière plus frappante que bien des explications, ce fait auquel on a attaché peu d'importance, et qui aurait tant besoin d'être pris en considération : le graveur a choisi le cas exemplaire du refoulement dans la vie des saints et des pénitents [b]. Un moine ascète s'est réfugié – sûrement pour fuir les tentations du monde – près de l'image du Sauveur crucifié. Alors cette croix s'affaisse comme une ombre et, rayonnante, s'y substituant, s'élève à sa place l'image d'une femme nue aux formes épanouies, également dans la position du crucifiement. D'autres peintres, dont la pénétration psychologique était

61

a. Horace, *Épîtres* I, 10, v. 24. Le texte exact est : « *Naturam expellas furca, tamen usque recurret* » : « Même si on chasse la nature à coups de fourche, elle reviendra quand même. » En français, depuis Boileau : « Chassez le naturel... »

b. Freud fait allusion à la gravure intitulée *La tentation de saint Antoine*.

moindre, ont placé dans des représentations analogues de la tentation le péché insolent et triomphant quelque part à côté du Sauveur sur la croix. Seul Rops lui a fait prendre la place du Sauveur lui-même sur la croix; il paraît avoir su que le refoulé, lors de son retour, surgit de l'instance refoulante elle-même.

  Il vaut la peine de s'attarder sur des cas morbides pour se convaincre que, dans l'état du refoulement, la vie psychique d'un individu devient extrêmement sensible à l'approche du refoulé et que de légères, d'infimes similitudes suffisent pour que le refoulé devienne actif derrière l'instance refoulante et grâce à elle. J'eus un jour l'occasion de m'occuper en tant que médecin d'un jeune homme — c'était presque encore un jeune garçon — qui après avoir pris connaissance une première fois, et sans l'avoir désiré, des processus de la sexualité, avait fui devant tous les désirs qui s'éveillaient en lui; à cet effet, il se servait de différents moyens de refoulement, il décuplait son ardeur aux études, il exagérait son attachement d'enfant à sa mère et adoptait en toute chose un comportement infantile. Je ne veux pas exposer ici en détail comment la sexualité refoulée perçait à nouveau précisément dans sa relation à sa mère, mais décrire le cas plus rare et plus étrange où un autre de ses bastions défensifs s'effondra dans une occasion qu'il est difficile de reconnaître comme suffisante. Les mathématiques jouissent de la plus haute réputation pour faire diversion à la sexualité; déjà J.-J. Rousseau avait dû recevoir d'une dame qui n'était pas satisfaite de lui ce conseil : *Lascia le donne et studia le matematiche*. Et c'est ainsi que notre fuyard se jeta avec une ardeur toute particulière dans les mathématiques et la géométrie du programme scolaire, jusqu'au jour où sa faculté de compréhension se trouva

soudain paralysée devant quelques innocents exercices. Il
fut encore possible d'établir l'énoncé de deux de ces
problèmes : « Deux corps se heurtent, l'un à la vitesse
de... », etc. Et : « Inscrire dans un cylindre dont la surface   62
a un diamètre *m* un cône... », etc. Devant ces allusions
à la vie sexuelle, certes peu évidentes pour tout autre, il
se sentit trahi par les mathématiques aussi, et prit également la fuite devant elles.

Si Norbert Hanold était un être tiré de la vie, qui
aurait chassé ainsi l'amour et le souvenir de son amitié
d'enfance au moyen de l'archéologie, il serait logique et
conforme à la règle que ce soit précisément un relief
antique qui éveille en lui le souvenir oublié de celle
qu'il a aimée avec des sentiments enfantins; il aurait
bien mérité son destin, c'est-à-dire de s'éprendre de
l'image de pierre de Gradiva derrière laquelle, grâce à
une ressemblance inexpliquée, la Zoé vivante qu'il a
délaissée se met à agir sur lui.

Mlle Zoé elle-même semble partager notre point de
vue sur le délire du jeune archéologue, car la satisfaction
qu'elle exprime au terme de sa « mercuriale explicite,
circonstanciée et instructive » ne peut guère s'expliquer
que par l'empressement de Norbert à mettre en relation,
dès le début, son intérêt pour Gradiva avec Zoé elle-
même. Voilà précisément ce qu'elle n'attendait pas de
lui et qu'elle reconnaît pourtant comme tel en dépit de
tous les déguisements du délire. Mais le traitement psychique qu'elle lui a appliqué a exercé sur lui ses effets
bienfaisants; il se sent libre puisque maintenant le délire
a été remplacé par quelque chose dont ce délire ne
pouvait être qu'une reproduction déformée et insuffisante.
Maintenant, il n'hésite pas non plus à se souvenir et à
la reconnaître pour sa bonne camarade, joyeuse et avisée,

qui au fond n'a pas changé du tout. Mais il y a autre chose qu'il trouve fort étrange...

« C'est que quelqu'un doive mourir pour se retrouver en vie », dit la jeune fille. « Mais en archéologie il faut nécessairement que les choses se passent ainsi ! » (p. 128). Visiblement elle ne lui a pas encore pardonné le détour par l'étude de l'Antiquité qu'il lui a fallu faire pour passer de l'amitié d'enfance à la relation qui est en train de se créer à nouveau.

« Non, je veux dire ton nom... Il y a que *Bertgang* a le même sens que *Gradiva* et désigne " celle qui brille par sa démarche [a] " » (p. 128).

Nous non plus, nous n'étions pas préparés à cela. Notre héros commence à se relever de son humiliation et à jouer un rôle actif. Visiblement, il est tout à fait guéri de son délire ; il le domine et en donne la preuve en déchirant lui-même les derniers fils de la toile que son délire a tissée. C'est exactement de la même manière que se comportent les malades quand on a relâché la contrainte qu'exercent sur eux leurs idées délirantes en leur découvrant le refoulé qui se cache derrière elles. Lorsqu'ils ont compris, ils apportent d'eux-mêmes les solutions des ultimes et principales énigmes de leur étrange état, dans des idées qui jaillissent subitement. Nous avions déjà soupçonné que l'origine grecque de cette Gradiva de fable était un obscur écho du nom grec de « Zoé » mais nous n'avions pas osé aborder le nom de « Gradiva » lui-même, nous le considérions comme une libre création de l'imagination de Norbert Hanold. Et voici que ce nom, justement, se révèle être un dérivé

---

a. Du vieil-allemand *bert*, « brillant », et *Gang*, « démarche ».

et même la traduction du nom de famille refoulé de l'enfant qu'il avait aimée et qu'il avait soi-disant oubliée!

Le chemin qui remonte vers les origines du délire a été parcouru et la résolution de ce délire est achevée. Ce qui va suivre encore chez le romancier est sans doute destiné à conclure le récit de façon harmonieuse. Si nous regardons l'avenir, nous ne pouvons qu'être agréablement touchés de voir se poursuivre le relèvement d'un homme qui, auparavant, devait jouer le rôle pitoyable d'une personne en quête de guérison et de le voir réussir à éveiller chez Zoé certains des affects qu'il avait subis jusque-là. C'est ainsi qu'il lui advient de la rendre jalouse en évoquant la jeune femme sympathique qui avait dérangé auparavant leur tête-à-tête dans la maison de Méléagre et en avouant qu'elle a été la première femme à lui avoir beaucoup plu. Là-dessus, Zoé veut prendre fraîchement congé, en remarquant que maintenant tout est revenu à la raison, et tout particulièrement elle-même; il peut aller retrouver Gisa Hartleben, ou quel que soit maintenant son nom, et lui apporter son aide scientifique à l'occasion de son séjour à Pompéi; quant à elle, elle doit maintenant retourner à l'*Albergo del Sole* où son père l'attend pour le déjeuner; peut-être, un jour, se reverront-ils dans une réception, en Allemagne ou sur la lune... Il peut alors prendre à nouveau prétexte de la mouche importune pour s'emparer d'abord de la joue, puis des lèvres de Zoé et mettre en œuvre l'agression qui appartient à l'homme dans le jeu de l'amour. Une fois seulement, une ombre semble encore passer sur leur bonheur, lorsque Zoé le prévient qu'il lui faut vraiment rejoindre son père, qui sinon mourra de faim à l'auberge. « Ton père... qu'est-ce qu'il va...? » (p. 132). Mais l'adroite jeune fille sait apaiser rapidement ce souci : « Rien du

64

tout, probablement, je ne suis pas une pièce irremplaçable
dans sa collection zoologique; si j'en étais une, mon cœur
ne se serait peut-être pas attaché à toi de façon aussi
aberrante!» (p. 132). Mais si, par exception, son père
était d'un autre avis que le sien, il y aurait un moyen
sûr. Hanold n'aurait qu'à se rendre à Capri, il attraperait
là une *lacerta faraglionensis* – elle lui prêterait son petit
doigt pour qu'il s'exerce à cette technique; il lâcherait
alors l'animal sur les lieux mêmes pour le rattraper sous
les yeux du zoologiste et le laisser choisir entre la *faraglionensis* continentale et sa fille. C'est là une proposition
dans laquelle – comme il est facile de le remarquer –
l'ironie se mêle à l'amertume, un avertissement en quelque
sorte au fiancé de ne pas se conformer trop fidèlement
au modèle selon lequel la femme aimée l'a choisi. Norbert Hanold nous rassure aussi sur ce point en exprimant
le grand changement qui s'est produit en lui par toutes
sortes de signes infimes en apparence. Il déclare son
65	intention de faire en Italie et à Pompéi son voyage de
noces avec Zoé, comme s'il n'avait jamais pesté contre
les couples de jeunes mariés, les Auguste et les Grete.
Tout ce qu'il a ressenti à la vue de ces couples heureux,
qui se sont éloignés si inutilement de plus de cent lieues
de leur patrie allemande, s'est complètement effacé de
sa mémoire. L'auteur a certainement raison lorsqu'il
présente un tel affaiblissement de la mémoire comme le
signe le plus précieux d'un changement d'esprit. À ce
projet de voyage exprimé par son *« ami d'enfance, lui
aussi en quelque sorte exhumé et sauvé de l'ensevelissement »*
(p. 134), Zoé répond qu'elle ne se sent pas encore assez
pleinement vivante pour prendre une décision géographique de cet ordre.

La belle réalité a désormais triomphé du délire, mais

celui-ci va recevoir un dernier hommage avant que les deux amoureux ne quittent Pompéi. Arrivé à la porte d'Hercule où, au début de la *Strada consolare,* de vieilles dalles de pierre traversent la rue, Norbert Hanold s'arrête et prie la jeune fille de le précéder. Elle le comprend et « relevant un peu sa robe de la main gauche, Gradiva *rediviva* Zoé Bertgang, pendant qu'il la couvait d'un regard rêveur et insistant, gagna l'autre côté de la rue en passant sur les dalles, avec sa façon de marcher paisible et alerte, auréolée des rayons du soleil ». En même temps que triomphe l'érotique [a] ce qu'il y avait aussi de beau et de précieux dans le délire se trouve maintenant reconnu.

Mais avec cette dernière comparaison de « l'ami d'enfance exhumé de l'ensevelissement », l'auteur nous a fourni la clef de la symbolique dont se servait le délire du héros pour déguiser le souvenir refoulé. Il n'y a vraiment pas de meilleure analogie du refoulement — qui tout à la fois rend un élément psychique inaccessible et le conserve —, qu'un ensevelissement comme celui qui a été le destin fatal de Pompéi et dont la ville a pu émerger à nouveau par le travail de la pioche. C'est pourquoi le jeune archéologue devait, dans son imagination, transporter à Pompéi l'original du bas-relief qui lui rappelait son amour de jeunesse oublié. Le romancier a eu bien raison de s'arrêter sur la précieuse ressemblance que sa fine intuition [b] a décelée entre un épisode de la vie psychique d'un individu et un événement historique isolé dans l'histoire de l'humanité.

66

---

a. *Erotik,* subst. fém. en allemand. Nous traduirons toujours par « érotisme », bien que ce dernier mot n'ait pas exactement le sens du mot allemand. Par *Erotik* Freud entend essentiellement le sentiment amoureux.

b. *sein feiner Sinn.*

II

Notre intention n'était en fait que de nous livrer à l'investigation des deux ou trois rêves que l'on trouve çà et là dans le récit intitulé *Gradiva,* à l'aide de certaines méthodes analytiques; comment se fait-il que nous nous soyons laissé entraîner à disséquer toute l'histoire et à examiner les processus psychiques des deux personnages principaux? Eh bien, ce ne fut pas un travail superflu, mais un travail préliminaire nécessaire. Lorsque nous voulons comprendre les vrais rêves d'une personne réelle, nous devons aussi nous préoccuper intensément du caractère et de la vie de cette personne, et nous devons apprendre à connaître non seulement ce qu'elle a vécu peu avant le rêve, mais aussi tout ce qui remonte à un passé éloigné. J'estime même que nous ne sommes pas encore libre de nous tourner vers ce qui est notre tâche proprement dite, nous devons nous attarder encore sur le récit lui-même et effectuer d'autres travaux préliminaires.

Nos lecteurs auront certainement remarqué avec surprise que jusqu'ici nous avons traité Norbert Hanold et Zoé Bertgang dans toutes leurs manifestations et leurs activités psychiques comme s'ils étaient des individus réels et non les créations d'un auteur, comme si l'esprit de celui-ci était un médium absolument transparent, un médium qui ne réfracte ni n'obscurcit. Et notre démarche doit paraître d'autant plus surprenante que cet auteur renonce expressément à dépeindre la réalité en donnant à son récit le titre de « fantaisie ». Mais nous trouvons toutes ses descriptions si fidèles à la réalité que nous n'élèverions aucune objection à ce que *Gradiva* ne s'intitule pas fantaisie mais étude psychiatrique. En deux points seulement le romancier s'est servi de la liberté dont il disposait pour créer des prémisses qui ne semblent pas avoir leurs racines dans le terrain des lois du réel. La première fois, lorsqu'il fait découvrir au jeune archéologue un bas-relief, indubitablement d'origine antique, qui reproduit non seulement dans sa particularité la position du pied dans la démarche, mais aussi, dans tous les détails du visage et du maintien, une personne vivant bien plus tard, si bien qu'il peut prendre l'aimable apparition de cette personne pour l'image de pierre devenue vivante. La deuxième fois, lorsqu'il lui fait rencontrer cette vivante précisément à Pompéi où sa seule imagination a transporté la morte, alors que, justement, par son voyage à Pompéi, il s'éloignait de la vivante qu'il avait remarquée dans la rue de la ville où il habitait. Mais, par cette deuxième décision, l'auteur ne s'écarte pas des possibilités de la vie réelle, ne leur fait pas violence; elle ne fait qu'appeler à l'aide le hasard qui intervient incontestablement dans tant de destinées humaines et, de plus elle lui confère une juste signification, car ce hasard reflète la fatalité qui a décidé que la fuite est précisément le moyen de se livrer à ce que l'on fuit. La première prémisse apparaît comme plus fantastique et jaillie entièrement du libre choix de l'au-

teur : elle porte en elle tous les événements ultérieurs,
la ressemblance si poussée entre l'image de pierre et la
jeune fille vivante, alors qu'une imagination plus retenue
pouvait limiter la concordance à un seul trait : la position
du pied dans la marche. On serait tenté de laisser jouer
sa propre imagination pour rattacher l'histoire qui nous
est contée à la réalité. Le nom de *Bertgang* pourrait
indiquer que les femmes de cette famille se sont déjà
distinguées autrefois par une belle démarche, et les Bertgang germaniques descendraient d'une lignée grecque,
dont une femme aurait incité le sculpteur antique à fixer
dans la pierre la démarche particulière. Mais comme les
différentes variations de la forme humaine ne sont pas
indépendantes les unes des autres et que nous aussi nous
voyons constamment reparaître les types antiques que
nous rencontrons dans les collections, il ne serait pas tout
à fait impossible qu'une Bertgang moderne reproduise
elle aussi la forme de son aïeule antique dans tous les
autres traits de sa conformation physique. Plutôt que de
se livrer à de telles spéculations, il serait peut-être plus
sage de s'informer auprès de l'auteur lui-même des sources
dont a découlé pour lui cette partie de sa création; nous
aurions alors bon espoir de ramener à nouveau un élément
qui semble né d'un libre choix à quelque chose qui
relève d'une loi. Mais comme nous n'avons pas libre
accès aux sources dans la vie psychique de l'auteur [a]
nous lui laissons sans restriction le droit d'édifier un
développement tout à fait fidèle à la vie sur une prémisse
improbable, droit que Shakespeare par exemple a reven-
diqué lui aussi dans *Le roi Lear*.

a. Cf. le Supplément, p. 247, et les lettres de Jensen à Freud,
p. 253.

À part cela, nous le répétons, le romancier nous a donné une étude psychiatrique parfaitement correcte, à laquelle nous pouvons mesurer notre compréhension de la vie psychique; nous avons là l'histoire d'une maladie et d'une guérison qui semble destinée à approfondir certaines théories fondamentales de la psychologie médicale. Il serait bien étrange que l'auteur ait vraiment voulu faire cela! Et qu'adviendrait-il si, à nos questions, il répondait en démentant catégoriquement cette intention? Il est si facile d'établir des analogies et de trouver des intentions; n'est-ce pas nous, plutôt, qui introduisons dans ce beau récit poétique un sens secret, auquel l'auteur était bien loin de penser? C'est possible; nous reviendrons encore là-dessus par la suite. Mais pour l'instant nous avons essayé de nous garder nous-même d'une interprétation aussi tendancieuse, en reproduisant le récit presque entièrement avec les propres mots du romancier, en lui laissant le soin de fournir lui-même le texte et le commentaire. Quiconque voudra comparer notre reproduction avec le texte même de *Gradiva* sera obligé de le reconnaître.

Peut-être rendons-nous aussi à notre auteur un mauvais service aux yeux de la majorité des gens en voyant dans son ouvrage une étude psychiatrique. L'écrivain, d'après ce que nous entendons dire, doit éviter tout contact avec le psychiatre et laisser aux médecins la description d'états psychiques pathologiques. À la vérité, aucun écrivain digne de ce nom n'a jamais observé cet impératif. En effet, la description de la vie psychique de l'homme est bien son domaine le plus spécifique; il a été de tout temps le précurseur de la science et par là aussi celui de la psychologie scientifique. Mais la frontière entre les états psychiques que l'on dit normaux et ceux que l'on appelle pathologiques est d'une part conventionnelle et d'autre part si fluctuante que vraisemblablement, chacun de nous la franchit plusieurs fois au cours d'une journée. Par ailleurs, la psychiatrie aurait tort de vouloir se limiter durablement à l'étude des états morbides graves et inquiétants qui résultent de sévères lésions du délicat appareil psychique. Les déviations plus légères par rapport à l'état normal, et susceptibles d'être compensées, dont, aujourd'hui, nous ne pouvons remonter la trace que jusqu'à des perturbations dans le jeu des forces psychiques, ne relèvent pas moins de l'intérêt de la psychiatrie; davantage : c'est seulement par là qu'elle peut comprendre ce qu'est la santé ainsi que les manifestations de la maladie grave. Ainsi l'écrivain ne peut céder le pas au psychiatre, ni le psychiatre à l'écrivain, et le traitement poétique d'un thème psychiatrique peut se révéler correcte, sans rien perdre de sa beauté.

Et elle est réellement correcte, cette présentation littéraire de l'histoire d'une maladie et de son traitement, dont, la narration terminée et notre propre curiosité satisfaite, nous pouvons avoir une meilleure vue d'ensemble; nous allons maintenant la reproduire avec les termes techniques de notre science – et ce faisant, nous ne nous sentirons pas gêné par la nécessité de répéter ce qui a déjà été dit.

L'état de Norbert Hanold est maintes fois qualifié de « délire » par l'auteur, et nous non plus nous n'avons pas de raison de rejeter ce terme [a]. Du « délire », nous pouvons donner deux caractères principaux qui certes ne le décrivent pas de façon exhaustive mais qui le dis-

a. En réalité, Jensen n'emploie jamais ce mot (*Wahn* en allemand) dans *Gradiva*. Voir la Note liminaire, p. 27.

tinguent nettement d'autres troubles. Premièrement, il fait partie du groupe des états morbides sans effet direct sur l'état physique, qui ne se manifestent que par des signes psychiques; deuxièmement, il est caractérisé par le fait qu'en lui des « fantaisies » ont pris le dessus, c'est-à-dire qu'elles ont trouvé créance et influent sur les actes. Rappelons-nous le voyage à Pompéi de Hanold, qui se propose de chercher dans la cendre la forme particulière des empreintes de Gradiva; nous avons ici un magnifique exemple d'un acte exécuté sous l'empire du délire. Le psychiatre rattacherait peut-être le délire de Norbert Hanold au grand groupe de la paranoïa et le qualifierait peut-être d'« érotomanie fétichiste » : en effet, il serait surtout frappé par le fait que le jeune homme tombe amoureux d'une image de pierre et, dans sa conception réductrice, verrait dans l'intérêt du jeune archéologue pour les pieds et la position des pieds de personnes du sexe féminin quelque chose qui le rendrait suspect de « fétichisme ». Néanmoins, toutes ces dénominations et classifications des diverses sortes de délire d'après leur contenu portent en elles quelque chose d'inadéquat et d'infécond [1].

En outre, le psychiatre rigoureux qualifierait aussitôt notre héros de *dégénéré* [a] puisque c'est une personne capable de développer un délire sur la base d'une prédilection aussi étrange, et il ferait des recherches sur l'hérédité qui l'a poussé inexorablement à un tel destin. Mais le romancier ne le suit pas sur ce terrain, à juste titre. En effet, il veut nous rendre le héros plus proche

1. Le cas de Norbert Hanold devrait en fait être appelé délire hystérique et non paranoïaque. On ne constate pas ici les caractéristiques de la paranoïa.
a. En français dans le texte.

et nous faciliter l'« empathie »; avec le diagnostic de *dégénérescence,* qu'il puisse ou non se justifier scientifiquement, le jeune archéologue se trouve aussitôt déporté loin de nous; nous, lecteurs, nous sommes en effet les individus normaux et la mesure de l'humanité. En outre, l'auteur se soucie peu des facteurs héréditaires et constitutionnels qui conditionnent cet état; en revanche, il se plonge dans l'organisation psychique personnelle qui peut être à l'origine d'un tel délire.

Sur un point important, Norbert Hanold a un comportement tout à fait différent de celui d'un être humain ordinaire. Il ne porte aucun intérêt à la femme vivante, la science qu'il sert lui a enlevé cet intérêt et l'a déplacé sur les femmes de pierre ou de bronze. Qu'on ne prenne pas ceci pour une particularité sans importance; c'est au contraire la condition fondamentale des événements rapportés car il arrive un jour qu'une unique image de pierre accapare tout l'intérêt qui, d'ordinaire, ne revient qu'à la femme vivante, et par là, le délire se trouve installé. Nous voyons ensuite se dérouler sous nos yeux le processus par lequel le délire est guéri grâce à un heureux concours de circonstances, et l'intérêt, détourné de la pierre, ramené à nouveau sur la femme vivante. Sous l'effet de quelles influences notre héros est-il tombé dans cet état où il se détourne des femmes? Le romancier ne nous laisse pas faire ce parcours; il nous indique seulement qu'un tel comportement ne s'explique pas par une prédisposition innée, qu'il comprend plutôt une part de besoins fantastiques – nous pouvons ajouter : érotiques. Nous découvrons aussi par la suite que dans son enfance, Norbert Hanold ne se tenait pas à l'écart des autres enfants; à cette époque, il entretenait une amitié d'enfance avec une petite fille, il était son compagnon inséparable, partageait avec elle ses petits repas, lui donnait des bourrades et se laissait houspiller par elle. Dans un tel attachement, une telle combinaison de tendresse et d'agression, s'exprime l'érotisme inachevé de la vie enfantine, qui ne manifeste ses effets qu'après coup, mais alors

73 de manière irrésistible; durant l'enfance même, seuls le médecin et l'écrivain reconnaissent d'ordinaire cela pour de l'érotisme. Notre auteur nous donne clairement à comprendre que lui-même ne pense pas autrement, car, dans une occasion propice, il fait s'éveiller soudain chez son héros un vif intérêt pour la démarche et la position du pied des femmes : cet intérêt ne peut que lui apporter, dans le domaine de la science et auprès des femmes de la ville où il réside, la mauvaise réputation d'un fétichiste du pied, mais, à nos yeux, il découle nécessairement du souvenir de cette compagne de ses jeux d'enfant. Cette jeune fille présentait certainement dans son enfance déjà la particularité d'une belle démarche, avec la pointe du pied dressée presque verticalement dans la marche, et c'est parce qu'il représentait précisément cette démarche qu'un bas-relief de pierre antique prend plus tard pour Norbert Hanold cette importance considérable. Ajoutons tout de suite d'ailleurs que l'auteur, dans son étiologie du curieux phénomène qu'est le fétichisme, se trouve en total accord avec la science. Depuis A. Binet nous tentons réellement de faire remonter le fétichisme à des impressions d'enfance érotiques [a].

L'état d'éloignement durable de la femme produit l'aptitude personnelle ou, comme nous avons coutume de dire, la prédisposition à la formation d'un délire. Le développement du trouble psychique débute au moment

a. A. Binet, 1888.

où une impression fortuite éveille les expériences enfantines tombées dans l'oubli et marquées d'érotisme, tout
au moins sous forme de traces. Mais « éveille » n'est
certainement pas le mot exact si nous prenons en considération ce qui arrive par la suite. Nous devons reproduire la représentation correcte qu'en donne le romancier
en des termes techniques propres à la psychologie. Norbert Hanold ne se souvient pas, en regardant le bas-
relief, qu'il a déjà vu semblable position du pied chez
son amie d'enfance; il ne se souvient de rien et pourtant,
tout l'effet produit par ce bas-relief provient de ce lien
avec l'impression reçue dans l'enfance. L'impression d'enfance se réveille donc, elle est rendue active, si bien
qu'elle commence à produire des effets, mais elle n'arrive
pas à la conscience, elle reste « inconsciente », comme
nous disons aujourd'hui, d'un terme devenu inévitable   74
en psychopathologie. Cet inconscient, nous voudrions le
voir soustrait à toutes les querelles des philosophes et
des philosophes de la nature, qui n'ont souvent qu'une
signification étymologique. Pour les processus psychiques
qui se comportent de façon active et qui pourtant ne
parviennent pas à la conscience de la personne concernée,
nous n'avons provisoirement pas de terme meilleur et
c'est tout ce que nous entendons par notre « inconscient ».
Si maints penseurs veulent nous contester, parce qu'elle
serait absurde, l'existence d'un tel inconscient, c'est parce
que, croyons-nous, ils ne se sont jamais occupés des
phénomènes psychiques correspondants, qu'ils sont sub-
jugués par l'expérience courante selon laquelle tout phénomène psychique qui devient actif et intensif devient
du même coup conscient, et qu'ils devraient précisément
apprendre — ce que notre auteur sait très bien — qu'il
existe assurément des processus psychiques qui, bien

qu'ils soient intensifs et produisent des effets importants,
n'en restent pas moins éloignés de la conscience.

Nous avons déjà dit plus haut que les souvenirs de
ses relations d'enfant avec Zoé se trouvaient chez Norbert
Hanold à l'état de « refoulement »; et nous les avons
alors appelés souvenirs « inconscients ». Maintenant il
nous faut consacrer quelque attention à la relation entre
ces deux termes techniques dont le sens semble coïncider.
Il n'est pas difficile de donner des explications à ce sujet.
« Inconscient » est le concept au sens large, « refoulé » au
sens étroit. Tout ce qui est refoulé est inconscient, mais
nous ne pouvons affirmer que tout inconscient est refoulé.
Si Hanold, à la vue du bas-relief, s'était souvenu de la
démarche de sa Zoé, un souvenir inconscient auparavant
serait devenu en même temps actif et conscient en lui,
montrant ainsi qu'il n'avait pas été refoulé précédemment. « Inconscient » est un terme purement descriptif,
indéterminé à bien des égards, un terme en quelque
sorte statique; « refoulé » est une expression dynamique
qui tient compte du jeu des forces psychiques et qui dit
qu'il existe un effort tendant à la manifestation de tous
les effets psychiques et parmi eux de celui du devenir-
conscient, mais qu'il y a aussi une force contraire, une
résistance capable d'empêcher une partie de ces effets
psychiques, et parmi eux, le devenir-conscient. Une des
caractéristiques du refoulé est justement qu'en dépit de
son intensité, il n'arrive pas à parvenir à la conscience.
Dans le cas de Hanold, il s'agit donc, dès l'apparition
du bas-relief, d'un inconscient refoulé, bref, d'un refoulé.

Chez Norbert Hanold les souvenirs de ses relations
enfantines avec la fillette à la belle démarche sont refoulés
mais ceci n'est pas encore la juste façon de considérer
cette situation psychologique. Nous restons à la surface

tant que nous ne nous occupons que de souvenirs et de représentations. La seule chose qui compte dans la vie psychique, ce sont plutôt les sentiments; toutes les forces psychiques n'ont de signification que par leur aptitude à éveiller des sentiments. Les représentations ne sont refoulées que parce qu'elles sont liées à des libérations de sentiments qui ne doivent pas avoir lieu; il serait plus juste de dire que le refoulement concerne les sentiments, mais nous ne pouvons saisir ces derniers autrement que liés à des représentations. Chez Norbert Hanold, les sentiments érotiques sont donc refoulés et comme son érotisme ne connaît ou n'a connu dans son enfance d'autre objet que Zoé Bertgang, les souvenirs qui se rapportent à elle sont oubliés. Le bas-relief antique éveille en lui l'érotisme qui sommeille et rend actifs les souvenirs d'enfance. En raison d'une résistance à l'érotisme qui existe en lui, ces souvenirs ne peuvent devenir actifs que comme souvenirs inconscients. Ce qui se déroule en lui par la suite est une lutte entre le pouvoir de l'érotisme et les forces qui le refoulent; ce qui se manifeste de ce combat est un délire.

Notre auteur a omis de donner les motifs dont découle le refoulement de la vie amoureuse chez son héros; l'activité scientifique n'est en effet que le moyen dont se sert le refoulement; le médecin devrait ici fouiller plus profondément sans peut-être, dans ce cas, arriver au fond des choses. Par contre, le romancier, ainsi que nous l'avons souligné avec admiration, n'a pas manqué de nous décrire comment l'éveil de l'érotisme refoulé se produit précisément à partir du domaine des moyens qui servent au refoulement. C'est à juste titre qu'une pièce antique, l'image de pierre d'une femme, arrache notre archéologue à son éloignement de l'amour et lui enjoint

de payer à la vie le tribut dont nous sommes chargés
depuis notre naissance.

Les premières manifestations du processus que déclenche
maintenant chez Hanold le bas-relief sont des fantaisies
qui jouent avec le personnage ainsi représenté. Le modèle
lui paraît être quelque chose « d'aujourd'hui » au meilleur sens du terme, comme si l'artiste avait fixé « d'après
la *vie* » la jeune femme qui marche dans la rue. Il donne
à la jeune fille antique le nom de « Gradiva » qu'il a
formé d'après l'épithète du dieu de la guerre partant au
combat, Mars Gradivus; il enrichit sa personnalité de
caractéristiques de plus en plus nombreuses. Elle est
probablement la fille d'un homme en vue, peut-être d'un
patricien qui se trouvait attaché au *culte* d'une divinité,
à son *temple*; il croit déceler dans ses traits une origine
grecque et finalement, il se sent poussé à la transporter
loin de l'agitation d'une grande ville dans le site plus
calme de *Pompéi*, où il lui fait franchir les dalles de lave
qui permettent le passage d'un côté de la rue à l'autre.
Ces produits de l'imagination semblent passablement
arbitraires et pourtant en même temps anodins et peu
suspects. Et par la suite aussi, lorsque pour la première
fois il en résulte une incitation à l'action, lorsque l'archéologue, préoccupé par le problème de savoir si une
telle position du pied correspond vraiment à la réalité,
se met à faire des observations d'après la vie, pour
regarder les pieds des femmes et des jeunes filles de son
temps, cette activité se couvre de motifs scientifiques qui
77 lui sont conscients, comme si tout son intérêt pour
l'image de pierre de Gradiva avait jailli du terrain de
son occupation professionnelle, l'archéologie. Les femmes
et les jeunes filles qu'il prend, dans la rue, pour objet
de son investigation doivent certes opter pour une autre

interprétation, grossièrement érotique, de son comportement et il nous faut bien leur donner raison. Pour nous, il ne fait aucun doute que Hanold connaît aussi peu les motifs de sa recherche que l'origine de ses fantaisies concernant Gradiva. Comme nous l'apprenons plus tard, celles-ci sont des échos de ses souvenirs de son amour de jeunesse, des descendants de ses souvenirs, elles en sont des transformations et des déformations, car ils n ont pas réussi à se frayer sans changement un chemin jusqu'à la conscience. Le prétendu jugement esthétique selon lequel l'image de pierre représente quelque chose d'« actuel » remplace le savoir de l'archéologue, qui veut qu'une telle démarche appartient à une jeune fille qu'il connaît, et qui traverse la rue à *l'époque où il vit*; derrière l'impression que le bas-relief est exécuté « d'après la vie » et la fantaisie de son origine hellénique se cache le souvenir de son nom de *Zoé* qui, en grec, signifie *vie*; Gradiva, d'après ce que nous explique notre héros guéri finalement de son délire, est une bonne traduction du nom de famille *Bertgang* qui signifie quelque chose comme « étincelante ou magnifique dans sa démarche »; les précisions concernant le père de la jeune fille ont pour origine le fait qu'il sait que Zoé Bertgang est la fille d'un professeur en vue de l'université, ce qu'on peut bien transférer dans le monde antique sous la forme d'un culte dans un temple. Enfin, son imagination la transporte à Pompéi, non « parce que sa nature calme et paisible semblait l'exiger », mais parce que sa science ne lui offre pas d'autre, de meilleure analogie avec l'étrange état dans lequel, par une obscure communication, il perçoit les souvenirs de son amitié d'enfance. S'il a fait coïncider un jour – comme tout l'y porte – sa propre enfance avec le passé classique, l'ensevelissement de Pompéi, cette

disparition-conservation du passé présente une similitude
78 parfaite avec le *refoulement* dont il a pris connaissance
par une perception pour ainsi dire « endopsychique ». La
symbolique qui opère alors en lui est la même que celle
que le romancier, à la fin du récit, prête à la jeune fille,
qui en use consciemment.

« Je me disais que j'arriverais bien toute seule à déterrer
quelque chose d'intéressant ici. En vérité, à aucun moment
je n'avais compté sur la trouvaille que j'ai faite... »
(p. 117). À la fin (p. 134), la jeune fille répond au vœu
concernant le but du voyage, que vient d'exprimer « son
ami d'enfance, lui aussi en quelque sorte exhumé et
sauvé de l'ensevelissement ».

Ainsi, nous trouvons déjà dans les premiers produits
des fantaisies de délire de Hanold et dans ses actes une
double détermination, une dérivation à partir de deux
sources différentes. L'une de ces déterminations est celle
qui apparaît à Hanold lui-même, l'autre celle qui se
dévoile à nous après examen de ses processus psychiques.
L'une, rapportée à la personne de Hanold, est celle qui
lui est consciente, l'autre celle qui lui est totalement
inconsciente. L'une tire entièrement son origine du cercle
de représentations de la science archéologique, l'autre,
en revanche, provient des souvenirs d'enfance refoulés
qui se sont éveillés en lui, et des pulsions affectives qui
s'y rattachent. L'une est pour ainsi dire en surface et
recouvre l'autre qui se dissimule en quelque sorte derrière
elle. On pourrait dire que la motivation scientifique sert
de prétexte à la motivation érotique inconsciente et que
la science s'est mise entièrement au service du délire.
Mais l'on ne doit pas oublier non plus que la détermination inconsciente est incapable d'accomplir autre
chose que ce qui satisfait en même temps la détermi-

nation scientifique consciente. En effet, les symptômes
du délire – les fantaisies aussi bien que les actes – sont
les résultats d'un compromis entre les deux courants
psychiques et un compromis prend en compte les exi-
gences de chacune des deux parties; mais chacune des
parties a dû renoncer aussi à une part de ce qu'elle
voulait accomplir. Là où s'est établi un compromis, il y
a eu lutte : ici c'est le conflit que nous supposons exister
entre l'érotisme réprimé et les forces qui le maintiennent
dans le refoulement. Dans la formation d'un délire, cette
lutte ne prend à proprement parler jamais fin. Assaut et
résistance se renouvellent après chaque formation de
compromis, qui en quelque sorte n'est jamais pleinement
satisfaisante. Cela, notre auteur le sait aussi, c'est pourquoi il laisse dominer, chez son héros, à ce stade de
perturbation, un sentiment d'insatisfaction, une inquiétude particulière, comme précurseurs et garants de développements ultérieurs.

Ces particularités importantes de la double détermination des fantaisies et des décisions, de la formation de
prétextes conscients pour des actes dans la motivation
desquels le refoulé a fourni la plus grande contribution
nous apparaîtront encore souvent, et peut-être plus clairement encore dans la suite du récit. Et ceci est parfaitement juste car, par là, l'auteur a saisi et présenté le
caractère principal, toujours présent, des processus psychiques pathologiques.

Le développement du délire chez Norbert Hanold se
poursuit par un rêve, que ne provoque aucun événement
nouveau et qui semble provenir entièrement de sa vie
psychique, remplie par un conflit. Mais faisons une pause
avant d'examiner si, dans la construction de ses rêves, le
romancier répond à notre attente d'une compréhension

approfondie [de leurs mécanismes]. Demandons-nous auparavant ce que la science psychiatrique dit des conditions préalables de l'origine d'un délire, quelle position elle prend sur le rôle du refoulement et de l'inconscient, sur le conflit et la formation de compromis. Bref, demandons-nous si la représentation littéraire de la genèse d'un délire peut tenir face au jugement de la science.

Sur ce point il nous faut donner une réponse peut-être inattendue : en réalité les rôles sont malheureusement inversés : c'est la science qui ne tient pas face à la production de notre auteur. Entre les conditions préalables héréditaires et constitutionnelles du délire et ses créations qui apparaissent comme achevées, elle laisse béer une lacune que nous voyons comblée chez le romancier. Elle ne soupçonne pas encore l'importance du refoulement, elle ne reconnaît pas que pour expliquer le monde des phénomènes psychopathologiques elle a absolument besoin de l'inconscient, elle ne cherche pas la raison du délire dans un conflit psychique et elle ne saisit pas les symptômes de ce délire comme une formation de compromis. L'écrivain se trouverait-il donc seul face à toute la science? Non pas, si l'auteur de ces lignes a le droit d'estimer que ses propres travaux relèvent aussi de la science. Car depuis nombre d'années — et jusqu'à ces derniers temps, dans un assez grand isolement [1] —, il défend lui-même toutes les vues qu'il a tirées ici de la *Gradiva* de Jensen et présentées dans les termes tech-

---

1. Voir l'important ouvrage de E. Bleuler : *Affektivität, Suggestibilität, Paranoïa,* et les *Diagnostische Assoziationsstudien* de C. G. Jung, publiés tous deux à Zurich en 1906. [*Ajouté en 1912* :] Aujourd'hui, en 1912, l'auteur de ces lignes peut récuser ce qu'il dit plus haut car cela n'est plus actuel. Depuis lors, le « mouvement psychanalytique » dont il a été l'initiateur a pris une grande extension et continue encore à se développer.

niques. Il a montré, et ceci, de la façon la plus détaillée
dans les états connus sous le nom d'hystérie ou de
représentation obsessionnelle, que la condition indivi-
duelle du trouble psychique est la répression d'une partie
de la vie pulsionnelle et le refoulement des représentations par lesquelles la pulsion réprimée est représentée [a];
et, peu après, il a appliqué la même conception à diverses
formes de délire [1]. Les pulsions qui entrent en ligne de
compte pour cet ensemble de causes sont-elles chaque
fois des composantes de la pulsion sexuelle ou peuvent-
elles être d'une autre sorte? C'est là un problème qui
peut rester indifférent pour le cas précis de l'analyse de
Gradiva, car dans le cas choisi par le romancier il ne
s'agit certainement de rien d'autre que de la répression
du sentiment érotique. Cette façon de considérer le conflit
psychique et la formation de symptômes par des compromis entre les deux courants psychiques en lutte l'un
contre l'autre, l'auteur de la présente étude a pu la mettre
en évidence exactement de la même manière dans des
cas de maladie réellement observés et médicalement traités,
que dans le cas de ce Norbert Hanold imaginé par notre
romancier [2]. Avant l'auteur de ces lignes, P. Janet, l'élève
du grand Charcot et, en collaboration avec l'auteur, Josef
Breuer à Vienne avait déjà entrepris de faire remonter
les productions des maladies nerveuses, et en particulier

81

1. Voir notre *Sammlung kleiner Schriften zur Neurosenlehre* [*Recueil de petits écrits sur la théorie des névroses*] *1893-1906.*
2. Voir « Fragment d'une analyse d'hystérie » (1905e).
a. « *...die Verdrängung der Vorstellungen, durch die der unterdrückte Trieb vertreten ist...* » Pour rester fidèles à nos choix terminologiques, nous sommes obligés d'avoir dans la même phrase « représentations » et « représenter ». Il y a cependant entre ces deux mots une grande différence de sens. Si le premier, *Vorstellungen,* signifie à peu près « idées, notions », le verbe *vertreten* veut dire « représenter » au sens de « tenir la place de ».

des maladies hystériques, au pouvoir de pensées inconscientes [1].

Lorsque, dans les années qui ont suivi 1893, l'auteur
de cet écrit s'est plongé dans de telles investigations sur
la genèse des troubles psychiques, il ne lui était vraiment
pas venu à l'idée de chercher chez des écrivains une
confirmation de ses résultats; c'est pourquoi sa surprise
ne fut pas mince lorsqu'il constata que, dans *Gradiva,*
publiée en 1903, un romancier mettait à la base de sa
création la nouveauté que lui-même pensait avoir puisée
aux sources de son expérience médicale. Comment ce
romancier était-il parvenu au même savoir que le médecin, ou tout au moins comment en était-il arrivé à se
comporter comme s'il avait le même savoir?

Le délire de Norbert Hanold, nous l'avons dit, connaît
un développement nouveau à cause d'un rêve qui se
produit au milieu de ses efforts pour découvrir une
démarche comme celle de Gradiva dans les rues de sa
ville natale. Il nous est facile de retracer brièvement le
contenu de ce rêve. Le rêveur se trouve à Pompéi le jour
même qui marqua l'anéantissement de la malheureuse
cité; il en partage les frayeurs sans courir lui-même de
danger; soudain, il voit Gradiva marcher en ce lieu et
comprend d'un coup qu'il est tout à fait naturel, puisqu'elle est pompéienne, qu'elle vive dans sa ville natale
et « sans qu'il l'ait soupçonné, en même temps que lui ».
Il se sent pris d'angoisse pour elle, l'appelle, sur quoi
elle tourne un bref instant son visage vers lui. Mais elle
poursuit sa route sans faire attention à sa personne,
s'allonge sur les marches du temple d'Apollon et se
82 trouve ensevelie sous la pluie de cendres après que son

---

1. Voir Breuer et Freud, *Études sur l'hystérie,* 1895 (Freud 1895*d*).

visage ait pâli comme s'il se transformait en marbre blanc, jusqu'à ressembler tout à fait à une statue de pierre. Lorsqu'il s'éveille, il interprète encore le bruit de la grande cité qui parvient jusqu'à son lit comme l'appel au secours des habitants affolés de Pompéi et le mugissement de la mer déchaînée. Le sentiment que ce qu'il a rêvé lui est vraiment arrivé ne veut pas le quitter, longtemps encore après son réveil, et ce rêve lui laisse la conviction, qui servira de nouveau point de départ à son délire, que Gradiva a vécu à Pompéi et qu'elle est morte en ce jour funeste.

Il nous sera moins aisé de dire ce que l'auteur a voulu avec ce rêve et ce qui l'a incité à rattacher précisément à un rêve le développement du délire. De laborieux explorateurs du rêve ont certes rassemblé suffisamment d'exemples de la façon dont le trouble mental se rattache à des rêves et procède de rêves [1], et on rapporte dans la biographie de certains hommes éminents, que l'impulsion qui les a poussés à des actions et des décisions importantes aurait pris naissance à partir de rêves. Mais ces analogies ne contribuent pas beaucoup à nous éclairer; restons-en donc à notre cas, au cas imaginé par le romancier de l'archéologue Norbert Hanold. Par quel bout doit-on aborder un tel rêve pour l'insérer dans l'ensemble, s'il ne doit pas rester un ornement inutile du récit?

Je peux fort bien imaginer qu'à cet endroit un lecteur s'exclame : le rêve est facile à expliquer. C'est un simple rêve d'angoisse, provoqué par les bruits de la grande ville, que l'archéologue préoccupé par sa Pompéienne transpose et interprète comme l'ensevelissement de Pom-

1. Sante De Sanctis (1899).

péi. En raison du peu de cas que l'on fait en général des productions du rêve, on a en effet coutume de se limiter, lorsqu'on prétend en expliquer un, à chercher, pour une partie du contenu du rêve, un stimulus extérieur qui coïncide plus ou moins avec lui. Ce stimulus extérieur du rêve serait fourni par le bruit qui éveille le dormeur, ce qui épuiserait l'intérêt du rêve en question. Si seulement nous avions une raison de supposer que la grande ville ce matin-là était plus bruyante que d'habitude, si par exemple l'auteur n'avait pas négligé de nous informer que, cette nuit-là, contrairement à son habitude, Hanold avait dormi la fenêtre ouverte. Quel dommage que l'auteur ne se soit pas donné cette peine! Et si seulement un rêve d'angoisse était quelque chose d'aussi simple! Non, cet intérêt ne s'épuise pas aussi simplement.

Le lien avec un stimulus sensoriel extérieur n'a rien d'essentiel pour la formation du rêve. Le dormeur peut négliger ce stimulus venu du monde extérieur, ou bien il peut se laisser réveiller par lui sans former de rêve, il peut aussi le mêler à la trame de son rêve – comme c'est le cas ici – si cela lui convient pour quelque autre raison, et il existe bon nombre de rêves dont on ne peut prouver que leur contenu a été déterminé de cette manière par un stimulus parvenant aux sens du dormeur. Non, il nous faut essayer de prendre une autre voie.

Peut-être pouvons-nous choisir comme point de départ le résidu que le rêve laisse subsister dans la vie éveillée de Hanold. Jusqu'à ce moment, l'origine pompéienne de Gradiva avait été une fantaisie de sa part. Maintenant, cette présomption devient pour lui une certitude à laquelle se rattache sa deuxième certitude : qu'elle a été ensevelie à Pompéi en l'an 79 [1]. Des sentiments mélancoliques accompagnent ce progrès de la formation du délire comme un écho de l'angoisse qui a rempli le rêve. Cette nouvelle douleur concernant Gradiva ne nous semble pas très compréhensible; car Gradiva serait morte aujourd'hui depuis bien des siècles même si elle avait été sauvée de l'ensevelissement en l'an 79. Ou bien n'aurait-on pas le droit de discuter de cette manière, ni avec Norbert Hanold, ni avec l'auteur lui-même? Il semble que, là non plus, aucune voie ne mène à l'explication. Nous noterons cependant qu'à l'accroissement du délire qui découle de ce rêve s'attachent des sentiments fortement teintés de souffrance.

84

Mais à part cela, notre perplexité reste toujours aussi grande. Ce rêve ne s'explique pas de lui-même; et il nous faut nous résoudre à faire des emprunts à notre *Interprétation du rêve* et appliquer ici quelques-unes des règles que l'on y trouve pour la solution de l'énigme des rêves.

L'une de ces règles est qu'un rêve se trouve régulièrement relié aux activités du jour précédant ce rêve [a]. Le romancier semble vouloir indiquer qu'il a suivi cette règle en rattachant ce rêve directement aux « recherches podologiques » de Hanold. Or, ces dernières ne signifient rien d'autre qu'une quête de Gradiva, qu'il veut reconnaître à sa démarche particulière. Le rêve devrait donc contenir une indication sur l'endroit où se trouve Gradiva. Il la contient effectivement, car il la montre à Pompéi mais ceci n'est pas pour nous une nouveauté.

Une autre règle dit que, lorsque après un rêve la

---

1. Voir le texte de *Gradiva*, p. 40 *sq.*.
a. Cf. *L'interprétation du rêve* (1900*a*), chap. V, section A.

croyance à la réalité des images du rêve persiste pendant
une période inhabituellement longue, si bien qu'on ne
peut s'arracher à ce rêve, il ne s'agit pas d'une erreur de
jugement provoquée par le caractère vivace des images
du rêve, mais que c'est un acte psychique pour soi, une
assurance qui se rapporte au contenu du rêve, qui dit
qu'il y a en lui quelque chose qui est vraiment comme
on l'a rêvé [a] et que l'on a raison d'accorder foi à cette
assurance. Si nous nous en tenons à ces deux règles, nous
devons arriver à la conclusion que le rêve donne une
information sur le lieu où se trouve cette Gradiva tant
recherchée, information qui coïncide avec la réalité. Nous
connaissons maintenant le rêve de Hanold; l'application
de ces deux règles à son cas nous amène-t-elle à lui
découvrir un sens raisonnable?

85   Curieusement, oui. Ce sens est simplement déguisé
d'une manière particulière, si bien qu'on ne le reconnaît
pas immédiatement. Dans son rêve, Hanold apprend que
celle qu'il cherche vit dans une ville et à la même époque
que lui. C'est exact pour Zoé Bertgang, à cela près que
dans le rêve, cette ville n'est pas la ville universitaire
allemande mais Pompéi, que l'époque n'est pas le présent
mais l'an 79 de notre ère. C'est comme une déformation
par déplacement; ce n'est pas Gradiva qui se trouve
transportée dans le présent mais le rêveur qui l'est dans
le passé; mais ce qui est essentiel et nouveau, à savoir
que *celui-ci partage avec celle qu'il cherche le temps et
l'espace,* est aussi dit de cette manière. D'où peuvent
bien provenir ce changement de cadre et ce déguisement
qui doivent nécessairement nous tromper, nous et le
rêveur lui-même, sur le sens et le contenu réels du rêve?

a. *Ibid.,* chap. V, fin de la section A, et chap. VI, section E, 9.

Nous avons déjà à notre disposition les moyens de donner à cette question une réponse satisfaisante.

Rappelons-nous tout ce que nous avons vu concernant la nature et l'origine des fantaisies, ces avant-coureurs du délire. Elles sont des substituts et des descendants de souvenirs refoulés auxquels une résistance ne permet pas d'arriver à la conscience sans qu'ils soient modifiés, mais qui acquièrent leur accession à la conscience au prix de modifications et de déformations dues à la censure de la résistance. Une fois ce compromis réalisé, ces souvenirs sont devenus ces fantaisies qui peuvent être aisément mal comprises de l'individu conscient, c'est-à-dire qu'elles peuvent être comprises dans le sens du courant psychique dominant. Représentons-nous maintenant les images du rêve comme les créations délirantes, pour ainsi dire physiologiques, de l'homme, les résultats de compromis de la lutte entre le refoulé et l'élément dominant, lutte qui existe vraisemblablement chez tout être humain, fût-il parfaitement sain d'esprit pendant la journée. Dès lors on comprend que l'on doit considérer les images du rêve comme quelque chose de déformé, derrière quoi il faut chercher autre chose, quelque chose de non déformé mais en un certain sens de choquant, comme les souvenirs refoulés de Hanold derrière ses fantaisies. On exprimera l'opposition ainsi reconnue en distinguant ce dont le rêveur se souvient à son réveil, et que nous appellerons le *contenu manifeste du rêve,* de ce qui constituait le fondement du rêve avant la déformation de la censure, les *pensées latentes du rêve.* Interpréter un rêve consiste alors à traduire le contenu manifeste du rêve en ces pensées latentes, à annuler la déformation que ces dernières ont dû subir du fait de la censure de la résistance. Si nous appliquons ces notions au rêve qui nous occupe,

86

nous découvrons que les pensées latentes du rêve ne peuvent avoir été que les suivantes : la jeune fille qui a cette belle démarche et que tu cherches vit réellement dans cette ville, avec toi. Mais sous cette forme, la pensée ne pouvait devenir consciente; à cela s'opposait le fait qu'une fantaisie, résultat d'un compromis antérieur, avait établi que Gradiva était pompéienne, par conséquent, si le fait réel qu'elle vivait au même endroit et à la même époque devait être préservé, il n'y avait pas d'autre issue que d'effectuer la déformation : tu vis à Pompéi à l'époque de Gradiva, et telle est alors l'idée que réalise le contenu manifeste du rêve, qu'il représente comme un présent en train d'être vécu.

Un rêve n'est que rarement la représentation, on pourrait dire la mise en scène d'une seule pensée; il s'agit la plupart du temps de toute une série, d'un tissu de pensées. On peut encore souligner dans le rêve de Hanold un autre élément du contenu, qu'il est facile de débarrasser de sa déformation, si bien qu'on peut découvrir l'idée latente dont il prend la place. C'est une partie du rêve à laquelle on peut encore étendre l'assurance de réalité sur laquelle le rêve s'est terminé. Dans le rêve, en effet, Gradiva en marche se transforme en une image de pierre. Or, ce n'est pas autre chose qu'une représentation poétique et chargée de sens des faits réels. Hanold avait effectivement transféré son intérêt pour la vivante à l'image de pierre; la femme aimée s'était transformée pour lui en un bas-relief de pierre. Les pensées latentes 87 du rêve, qui doivent rester inconscientes, veulent retransformer cette image en une personne vivante; en liaison avec ce qui précède, elles lui disent quelque chose comme : si tu t'intéresses au bas-relief de Gradiva, ce n'est que parce qu'il te rappelle la Zoé d'aujourd'hui, qui vit ici.

Mais cette découverte si elle pouvait devenir consciente, signifierait la fin du délire.

Serions-nous soumis à l'obligation de remplacer ainsi chacune des parties séparées du contenu manifeste du rêve par des pensées inconscientes? À strictement parler oui; si nous interprétions un rêve qui se serait réellement produit, nous ne pourrions nous soustraire à ce devoir. Alors le rêveur devrait aussi nous répondre de la façon la plus détaillée. On conçoit que nous ne puissions pas aller au bout d'une telle exigence lorsqu'il s'agit de la création d'un écrivain. Mais il nous faut bien voir que nous n'avons pas encore soumis le contenu principal de ce rêve au travail d'interprétation ou de traduction.

En effet, le rêve de Hanold est un rêve d'angoisse. Son contenu est effrayant, le rêveur ressent de l'angoisse dans son sommeil et des sensations douloureuses subsistent ensuite. Voilà qui n'est pas du tout commode pour notre essai d'explication; nous sommes à nouveau contraint de faire d'importants emprunts à la théorie de l'interprétation du rêve. Et celle-ci nous met en garde : nous ne devons surtout pas tomber dans l'erreur de faire dériver l'angoisse éprouvée au cours d'un rêve du contenu de ce rêve, ni traiter le contenu du rêve comme un contenu de représentations de la vie éveillée. Elle attire notre attention sur le fait que nous rêvons souvent les choses les plus effroyables sans éprouver du même coup la moindre trace d'angoisse. Le véritable état de choses, nous apprend cette théorie, est tout différent; il n'est pas facile à deviner mais peut être prouvé à coup sûr. L'angoisse du rêve d'angoisse, comme du reste toute angoisse nerveuse, correspond à un affect sexuel, à une sensation libidinale et est issue de la libido par le processus du

88 refoulement ¹. Dans l'interprétation du rêve, on doit donc remplacer l'angoisse par une excitation sexuelle. L'angoisse qui naît exerce alors – non pas invariablement mais fréquemment – une influence sélective sur le contenu du rêve et amène en lui des éléments de représentation qui apparaissent comme appropriés à l'affect d'angoisse pour la conception consciente et erronée du rêve. Comme nous l'avons dit, ce n'est nullement toujours le cas, car il y a nombre de rêves d'angoisse dans lesquels le contenu n'est pas du tout effrayant et où on ne peut donc s'expliquer de façon consciente l'angoisse ressentie.

Je sais que cette explication de l'angoisse dans le rêve semble très déroutante et ne trouve pas facilement créance; mais je ne puis que conseiller de se familiariser avec elle. Il serait du reste fort curieux que le rêve de Norbert Hanold puisse être relié à cette conception de l'angoisse et être expliqué à partir d'elle. Nous dirions alors qu'aux heures nocturnes le désir d'amour s'anime chez le rêveur, qu'il exerce une forte poussée pour rendre conscient en lui le souvenir de la femme aimée et l'arracher ainsi au délire, mais qu'il subit un *nouveau refus* et se transforme en angoisse, angoisse qui apporte à son tour, dans le contenu du rêve, les images effrayantes issues des souvenirs d'école du rêveur. De cette manière, le contenu véritable, inconscient du rêve, le désir amoureux de cette Zoé qu'il a connue autrefois, se muerait en contenu manifeste de l'anéantissement de Pompéi et de la perte de Gradiva.

Jusqu'ici, cette explication paraît tout à fait plausible.

---

1. « Qu'il est justifié de séparer de la neurasthénie un certain complexe symptomatique sous le nom de " névrose d'angoisse " » (Freud 1895 *b*). Voir aussi *L'interprétation du rêve*, 8ᵉ éd., p. 398 [c'est-à-dire dans le dernier tiers du chap. VII (D)].

Mais on pourrait exiger à bon droit que, si des désirs érotiques constituent le contenu non déformé de ce rêve, on doive aussi en relever, dans le rêve remanié, au moins un résidu reconnaissable qui se cacherait quelque part. Il se pourrait que cela aussi soit possible, grâce à une indication qui nous vient de la suite du récit. Lors de sa première rencontre avec la présumée Gradiva, Hanold pense à ce rêve et prie l'apparition de s'allonger à nouveau, comme il l'avait vue faire auparavant [1]. Mais là-dessus, la jeune femme se lève avec indignation et quitte son bizarre interlocuteur car elle a perçu, dans ses propos dominés par le délire, l'inconvenant désir érotique. Je pense que nous pouvons faire nôtre l'interprétation de Gradiva; on ne pourra pas toujours exiger non plus, d'un rêve réel, une plus grande précision dans la représentation du désir érotique.

Ainsi l'application au premier rêve de Hanold de quelques-unes des règles de l'interprétation a eu pour résultat de nous rendre ce rêve compréhensible dans ses traits essentiels et de l'insérer dans la trame du récit. Le romancier a-t-il donc créé son œuvre en respectant ces règles? On pourrait seulement soulever encore une question : pourquoi l'auteur introduit-il un rêve pour amener le développement du délire? J'y vois, pour ma part, une trouvaille fort ingénieuse et fidèle, une fois de plus, à la réalité. Nous avons déjà vu que dans des cas réels de maladie, une formation délirante se rattache très fréquemment à un rêve, mais après nos explications sur

---

1. Cf. p. 80 : « Une conversation non... mais je t'ai lancé un appel, lorsque tu étais en train de t'allonger pour dormir, et je me suis tenu à tes côtés... ton visage était aussi sereinement beau que s'il avait été en marbre. Je t'en prie... pose le encore une fois comme il était sur la marche... »

l'essence du rêve, nous n'avons pas besoin de trouver une nouvelle énigme dans cet état de choses. Le rêve et le délire procèdent de la même source, du refoulé; le rêve est, pour ainsi dire, le délire physiologique de l'homme normal. Avant que le refoulé ne soit devenu assez fort pour s'imposer en tant que délire dans la vie éveillée, il peut fort bien avoir remporté son premier succès dans les conditions plus favorables de l'état de sommeil, sous la forme d'un rêve aux effets durables. Pendant le sommeil, intervient en effet, avec l'abaissement de l'activité psychique en général, un relâchement de l'intensité de la résistance que les forces psychiques dominantes opposent au refoulé. C'est ce relâchement qui rend possible la formation du rêve et c'est pourquoi le rêve nous fournit le meilleur accès à la connaissance du domaine psychique inconscient. À cela près qu'habituellement, avec le rétablissement des investissements psychiques de l'état de veille, le rêve se dissipe à nouveau, que le terrain gagné par l'inconscient est de nouveau évacué.

III

La suite du récit nous offre un autre rêve qui, peut-
être plus encore que le premier, peut nous donner la
tentation de le traduire et de l'insérer dans le contexte
de ce qui se passe dans le psychisme du héros. Mais
nous ne gagnerions pas grand-chose à délaisser ici la
narration pour courir tout droit vers ce second rêve;
celui, en effet, qui veut interpréter le rêve d'un autre ne
peut se dispenser de se préoccuper d'aussi près que
possible de tout ce que le rêveur a vécu extérieurement
et intérieurement. Donc, le mieux serait peut-être de
nous en tenir au fil du récit et de l'enrichir à mesure de
nos gloses.

La nouvelle formation délirante qui a pour sujet la
mort de Gradiva lors de l'anéantissement de Pompéi en
l'an 79 n'est pas l'unique effet après coup du premier
rêve, que nous venons d'analyser. Immédiatement à sa
suite, Hanold décide de faire un voyage en Italie, qui
l'amènera finalement à Pompéi. Mais auparavant il lui
arrive encore autre chose : se penchant par la fenêtre, il
croit remarquer dans la rue une silhouette ayant le port
et la démarche de sa Gradiva, il court après elle bien
qu'insuffisamment vêtu mais ne l'atteint pas, et les rail-

leries des passants le chassent vers son domicile. Une
fois qu'il est retourné dans sa chambre, le chant d'un
92 canari dont la cage est accrochée à une fenêtre de la
maison d'en face éveille en lui l'état d'âme d'un prisonnier qui aspire à la liberté, et son voyage printanier est
tout aussi vite décidé qu'entrepris.

Le romancier a éclairé d'une lumière particulièrement
vive ce voyage de Hanold et il a accordé à son personnage
de voir clair, tout au moins en partie, dans ses processus
intérieurs. Évidemment, Hanold s'est donné un prétexte
scientifique pour partir en voyage, mais ce prétexte ne
tient pas longtemps. En fait, il sait bien que « l'incitation
au voyage avait jailli en lui d'une sensation indéfinis-
sable ». Une inquiétude singulière lui commande d'être
insatisfait de tout ce qu'il rencontre et le pousse de Rome
à Naples, puis de là à Pompéi, sans qu'il se retrouve
dans son assiette, même au cours de cette dernière étape.
La sottise des jeunes mariés en voyage de noces l'agace
et il s'emporte contre l'insolence des mouches qui peuplent
les hôtels de Pompéi. Mais finalement il ne se fait pas
d'illusions sur le fait que « son insatisfaction ne provient
pas uniquement de ce qui l'entoure, mais trouve aussi
en partie son origine en lui-même ». Il pense qu'il a les
nerfs à vif, il sent qu'« il est de mauvaise humeur parce
qu'il lui manque quelque chose, sans pouvoir dire quoi.
Et cette mauvaise humeur, il la transporte partout avec
lui ». Dans une telle disposition, il s'emporte même
contre sa souveraine, la Science; alors qu'il se promène
pour la première fois dans Pompéi sous l'ardeur du soleil
de midi, « sa science ne s'était pas contentée de l'abandonner, elle l'avait laissé sans la moindre envie de la
retrouver; il ne s'en souvenait que comme d'une chose
bien lointaine et dans son esprit, elle n'avait été qu'une

vieille tante desséchée et ennuyeuse, la créature du monde
la plus racornie, la plus superflue » (p. 70).

Alors qu'il se trouve dans cet état d'esprit peu satis-
faisant et confus, l'une des énigmes qui se rattachent à
ce voyage se résout pour lui. Au moment où il voit pour
la première fois Gradiva marcher à travers Pompéi, « ...il 93
prit conscience pour la première fois : s'il était parti pour
l'Italie sans avoir dans son for intérieur la moindre idée
de ce qui l'y incitait et s'il avait poussé jusqu'à Pompéi
sans s'arrêter à Rome et à Naples, c'était sûrement pour
chercher à retrouver sa trace. Et une trace au sens propre
du mot car, avec sa démarche bien particulière, ses orteils
avaient dû laisser derrière elle dans la cendre une marque
facile à repérer au milieu des autres » (p. 72).

Comme le romancier nous décrit si soigneusement ce
voyage, nous avons sans doute intérêt, nous aussi, à
élucider la relation qu'il entretient avec le délire de
Hanold et la place qu'il occupe dans le contexte des
événements. Ce voyage est entrepris à partir de motifs
que l'intéressé ne reconnaît pas au début et ne s'avoue
que plus tard, motifs que le romancier qualifie expressément d'« inconscients ». Cela est certainement tiré de
l'observation de la vie; il n'est pas nécessaire d'être dans
un état de délire pour agir de la sorte; au contraire, c'est
un phénomène quotidien, même chez les bien-portants,
qu'ils se fassent illusion sur les motifs de leurs actes et
qu'ils n'en deviennent conscients qu'après coup, et seulement lorsqu'un conflit de plusieurs courants de sentiments établit chez eux la condition d'une telle confusion. Le voyage de Hanold était donc destiné depuis le
début à servir son délire et devait l'amener à Pompéi
pour y poursuivre sa quête de Gradiva. Nous rappelons
qu'avant et immédiatement après le rêve, cette quête

l'occupait tout entier et que le rêve lui-même n'était
qu'une réponse, étouffée par sa conscience, à la question
de savoir où se trouvait Gradiva. Mais une puissance
quelconque, que nous ne reconnaissons pas, inhibe d'abord
la prise de conscience du projet délirant, si bien que pour
motiver le voyage de façon consciente, il ne reste plus
que des prétextes insuffisants, qu'il lui faut renouveler
d'étape en étape. Le romancier nous impose une nouvelle
énigme en faisant se succéder comme des événements
fortuits, sans relation interne : le rêve, la découverte dans
la rue de celle que Hanold présume être Gradiva, sa
94 décision de partir en voyage sous l'influence du chant
du canari.

À l'aide des éclaircissements que nous retirons des
propos ultérieurs de Zoé Bertgang, la lumière se fait
dans notre esprit sur ce passage obscur du récit. C'était
vraiment l'original de Gradiva, Mlle Zoé en personne,
que Hanold, de sa fenêtre, avait vue marcher dans la
rue (p. 93) et qu'il avait failli rattraper. L'information
donnée par le rêve : « elle vit en effet aujourd'hui dans
la même ville que toi » aurait reçu ainsi, par un heureux
hasard, une confirmation irrésistible, devant laquelle le
raidissement intérieur de l'archéologue aurait cédé. Mais
le canari, dont le chant a poussé Hanold à partir, appartenait à Zoé et sa cage se trouvait à sa fenêtre, de l'autre
côté de la rue, en biais vis-à-vis de la maison de Hanold
(p. 124). Hanold qui, comme l'en accuse la jeune fille,
avait le don de « l'hallucination négative », qui possédait
l'art de ne pas voir et de ne pas reconnaître des personnes
même présentes, doit avoir eu dès le début la connaissance inconsciente de ce que nous n'apprendrons que
plus tard. Les signes de la proximité de Zoé, son apparition dans la rue et le chant de son oiseau si près de sa

propre fenêtre renforcent l'effet du rêve et dans cette situation si dangereuse pour sa résistance à l'érotisme — il prend la fuite. Le voyage résulte d'un sursaut de la résistance après cette avancée du désir amoureux dans le rêve, d'une tentative de fuite devant la présence physique de la femme aimée. Pratiquement, il signifie une victoire du refoulement qui, cette fois, garde la suprématie dans le délire, de même que dans son activité antérieure, ses « investigations podologiques » sur les femmes et les jeunes filles, l'érotisme avait été victorieux. Mais partout, dans les oscillations de ce combat, la nature de compromis des décisions se trouve préservée; le voyage à Pompéi qui doit emmener Hanold loin de la Zoé vivante le conduit au moins à son substitut, Gradiva. Le voyage qui est entrepris au défi des pensées latentes du rêve obéit cependant au contenu manifeste du rêve, qui indique   95 Pompéi comme destination. Ainsi, le délire triomphe à nouveau, chaque fois que l'érotisme et la résistance luttent à nouveau.

Cette conception du voyage de Hanold comme une fuite devant le désir amoureux qui s'éveille en lui, désir de la femme aimée si proche, s'accorde seule avec ses états d'âme pendant son séjour en Italie, tels qu'ils sont dépeints par l'auteur. Le rejet de l'érotisme qui le domine s'exprime là dans sa répulsion à l'égard des jeunes couples en voyage de noces. Un petit rêve dans son auberge de Rome, provoqué par le voisinage d'un couple d'amoureux allemands, « Auguste et Grete », dont il lui faut entendre, le soir, la conversation à travers une mince cloison, jette comme après coup une lumière sur les tendances érotiques de son premier grand rêve. Ce nouveau rêve le transporte derechef à Pompéi, où justement le Vésuve entre à nouveau en éruption, et se rattache ainsi au rêve qui continue à agir sur lui pendant le voyage. Mais cette fois, parmi les personnes en danger, il aperçoit – non lui-même et Gradiva comme précédemment – mais l'Apollon du Belvédère et la Vénus du Capitole, hyperboles ironiques, sans doute, du couple de la chambre voisine. Apollon soulève Vénus, l'emporte et l'étend dans l'obscurité sur un objet qui semble être une voiture ou une carriole car il fait entendre un « bruit de grincements ». Par ailleurs, le rêve n'exige pas un art particulier pour être interprété (p. 53).

Notre auteur, dont nous pouvons être sûrs depuis longtemps que sa description ne comporte pas une seule touche oiseuse et sans intention précise, nous a fourni encore un autre témoignage du courant asexuel qui domine Hanold pendant son voyage. Alors que, des heures durant, il va au hasard à travers Pompéi, il ne lui revient « pas une seule fois en mémoire qu'il avait rêvé peu de temps auparavant avoir assisté à l'ensevelissement de Pompéi en 79 par l'éruption du volcan » (p. 64). C'est seulement à la vue de Gradiva qu'il se rappelle soudain ce rêve, de même qu'il prend conscience en même temps du motif délirant de son énigmatique voyage. Or, que pourrait signifier cet oubli du rêve, cette barrière du refoulement entre le rêve et son état d'âme au cours du voyage, sinon que le voyage n'a pas eu lieu sur l'incitation directe du rêve mais en révolte contre ce rêve, une révolte qui est l'émanation d'une puissance psychique qui ne veut rien savoir du sens secret du rêve?

Mais, par ailleurs, Hanold ne se réjouit pas de cette victoire sur son érotisme. La motion psychique réprimée demeure assez forte pour se venger de la motion réprimante par le malaise et l'inhibition. Son désir ardent s'est transformé en une inquiétude et une insatisfaction qui lui font apparaître le voyage comme dépourvu de sens ; l'intelligence de la motivation du voyage au service du délire est inhibée, sa relation à la science qui devrait éveiller tout l'intérêt de l'archéologue en un tel lieu est perturbée. Ainsi l'auteur nous montre son héros après sa fuite devant l'amour passer par une sorte de crise, en un état de confusion et d'incohérence totales, dans un délabrement tel qu'il a coutume de se produire au paroxysme des états de maladie lorsque aucune des deux puissances en lutte n'est plus assez forte par rapport à l'autre pour que la différence puisse fonder un régime psychique solide. Le romancier intervient alors de façon secourable et conciliatrice, car à cet endroit il fait apparaître Gradiva qui entreprend la guérison du délire. Avec son pouvoir d'orienter vers une issue heureuse les destins des êtres qu'il a créés, — en dépit de toutes les nécessités auxquelles il les fait obéir, — il transporte précisément à Pompéi la jeune fille que Hanold a fuie en partant pour ce lieu, et corrige ainsi la folie que le délire a fait commettre au jeune homme en quittant la ville où habite la femme aimée réelle pour se rendre à l'endroit où a péri celle qui la remplace dans son imagination.

L'apparition de Zoé Bertgang en tant que Gradiva, qui marque le point culminant de la tension dans le récit introduit bientôt aussi un tournant dans notre intérêt. Si, jusqu'alors, nous avons vécu le développement d'un délire, nous devons maintenant devenir les témoins de sa guérison et il nous est permis de nous demander si l'auteur a purement et simplement inventé de toutes pièces le déroulement de cette guérison ou s'il l'a créée en s'appuyant sur des possibilités qui existent effectivement. D'après les propres paroles de Zoé au cours de sa conversation avec son amie, nous avons sans aucun doute

le droit de lui attribuer une telle intention de guérir
(p. 116). Mais comment s'y prend-elle? Après avoir
réprimé l'indignation qu'a suscitée en elle la demande
de Hanold – qui veut la voir s'allonger à nouveau pour
dormir, comme – « alors », – elle se trouve le lendemain
à la même heure de midi, au même endroit, et parvient
à obtenir de Hanold les éléments de savoir secrets qui
lui ont fait défaut la veille pour comprendre son comportement. Elle l'entend parler de son rêve, du bas-relief
de Gradiva et de la démarche particulière qu'elle partage
avec cette image. Elle accepte le rôle du fantôme éveillé
à la vie pour une heure brève, rôle, comme elle le
constate, que lui a attribué le délire de Hanold, et lui
indique avec douceur par des paroles ambiguës une
attitude nouvelle, en acceptant de lui la fleur des tombeaux qu'il avait apportée sans intention consciente, et
en exprimant le regret de ne pas recevoir des roses (p. 94).

Mais notre intérêt pour le comportement de cette jeune
fille remarquablement avisée, qui a décidé de conquérir
son amour des premières années pour en faire son mari,
– après avoir reconnu que derrière le délire, c'est l'amour
de Hanold qui le pousse en avant – cet intérêt cède
peut-être le pas, en cet endroit, à l'étonnement que ce
délire lui-même peut susciter en nous. La dernière forme
qu'il prend (il croit que Gradiva, ensevelie en l'an 79,
peut maintenant, sous l'aspect d'un fantôme de midi,
échanger avec lui des paroles pendant une heure, après
quoi elle disparaîtrait dans le sol ou regagnerait sa tombe),
cette élucubration qui n'est ébranlée ni lorsqu'il s'aperçoit
qu'elle porte des chaussures modernes ni lorsqu'il constate
98   qu'elle ignore les langues anciennes, et maîtrise parfaitement la langue allemande qui n'existait pas à cette
époque, semble bien justifier le qualificatif de « fantaisie

pompéienne » que le narrateur donne à son œuvre mais
semble exclure toute appréciation selon les critères de la
réalité clinique. Et pourtant, à considérer les choses de
plus près, l'invraisemblance de ce délire me semble se
dissiper en grande partie. En effet, le romancier a pris
sur lui une part de la responsabilité et l'a fait entrer lui-
même dans la prémisse du récit : à savoir que Zoé est
trait pour trait le double du bas-relief. On doit donc se
garder de déplacer l'invraisemblance de cette prémisse
sur sa conséquence, c'est-à-dire que Hanold prenne la
jeune fille pour Gradiva revenue à la vie. L'explication
délirante gagne ici en valeur par le fait que l'auteur non
plus n'en a pas mis de rationnelle à notre disposition.
En outre, il a eu recours à l'ardeur du soleil de la
Campanie, au pouvoir magique et troublant du vin qui
croît sur les pentes du Vésuve comme à d'autres auxi-
liaires et à des circonstances qui atténuent les écarts du
héros. Mais le plus important de tous les facteurs qui
expliquent et excusent Hanold reste la facilité avec laquelle
notre intellect se décide à accepter un contenu absurde
quand des motions fortement teintées d'affect y trouvent
leur satisfaction. C'est une chose étonnante et à laquelle
on porte généralement bien trop peu d'attention que de
voir avec quelle facilité et quelle fréquence, même des
personnes très intelligentes, présentent, sous de telles
constellations psychologiques, des réactions de débilité
mentale partielle, et quiconque n'est pas trop imbu de
sa personne peut observer cela chez lui-même à satiété.
Et que dire alors quand une partie des processus de
pensée qui entrent en ligne de compte est attachée à des
motifs inconscients ou refoulés ! J'aime citer à cette occasion ce mot d'un philosophe qui m'écrit : « J'ai aussi
commencé à noter des cas d'erreurs frappantes, d'actes

accomplis sans y penser qui me sont arrivés à moi-même
et pour lesquels on se donne des motifs après coup (de
façon très déraisonnable). Il est effrayant mais typique
de constater quelle somme de bêtises vient alors au jour. »
99 Et qu'on ajoute à cela que la croyance aux esprits, aux
fantômes et aux revenants qui trouve tant de points
d'appui dans les religions et à laquelle nous avons tous
été attachés, tout au moins dans notre enfance, n'a nullement disparu chez toutes les personnes cultivées et que
bien des gens par ailleurs raisonnables estiment que l'on
peut concilier la pratique du spiritisme avec la raison.
Oui, même celui qui a acquis une tête froide et est
devenu incrédule peut constater non sans honte avec
quelle facilité il revient pour un instant à la croyance
aux esprits, quand l'émotion et le désarroi se rencontrent
en lui. Je connais un médecin qui avait perdu une de
ses malades atteinte de la maladie de Basedow et qui
ne pouvait bannir complètement le soupçon d'avoir peut-
être contribué à cette issue fatale par une médication
imprudente. Un jour, bien des années plus tard, il vit
entrer dans son cabinet une jeune fille, dans laquelle,
bien qu'il s'y refusât de toutes ses forces, il lui fallut
reconnaître la défunte. Il ne put former d'autre pensée
que celle-ci : il est donc vrai que les morts peuvent
revenir, et son frisson d'horreur ne céda à la confusion
qu'au moment où la visiteuse se présenta comme la sœur
de celle qui était morte de la même maladie. La maladie
de Basedow donne à ceux qui en sont frappés une très
grande ressemblance, souvent constatée, des traits du
visage, et dans ce cas, cette ressemblance typique s'ajou-
tait à celle qui existe entre deux sœurs. Or, le médecin
en cause n'était autre que moi-même et c'est bien pourquoi je ne suis pas enclin à contester à Norbert Hanold

la possibilité clinique de son bref délire devant une Gradiva revenue à la vie. Enfin, tous les psychiatres savent que dans les cas graves de formation délirante chronique (paranoïa), on atteint des records d'absurdités ingénieusement élaborées et bien soutenues.

Après sa première rencontre avec Gradiva, Norbert Hanold avait bu son vin d'abord dans l'un puis dans l'autre des hôtels qu'il connaissait à Pompéi, tandis que les autres visiteurs étaient occupés à prendre leur repas principal. « Bien entendu il n'avait pas eu l'esprit seulement effleuré par l'idée absurde » qu'il agissait ainsi pour apprendre dans quel hôtel Gradiva était descendue et prenait ses repas. Mais il est difficile de dire quel autre sens son comportement aurait pu avoir. Le jour qui suit la deuxième rencontre dans la maison de Méléagre, il vit toutes sortes de choses singulières et apparemment sans rapport entre elles : il trouve une fente étroite dans le mur du portique là où Gradiva avait disparu, il rencontre un chasseur de lézards excentrique qui lui adresse la parole comme s'il le connaissait, il découvre, dans un coin caché, un troisième hôtel, l'*Albergo del Sole,* dont le propriétaire, par son bagout, lui fait acheter une fibule de métal à la patine verte qui aurait été trouvée lors de fouilles auprès des restes d'une jeune fille de Pompéi; enfin, dans son propre hôtel, son attention est attirée par un jeune couple récemment arrivé, où il croit voir un frère et une sœur et auquel il accorde sa sympathie. Toutes ces impressions se tissent alors en un rêve « remarquablement absurde » dont la teneur est la suivante :

« Quelque part au soleil est assise Gradiva, en train de faire avec un brin d'herbe un nœud coulant afin d'attraper un lézard, et elle dit en même temps : " S'il

100

te plaît, tiens-toi tranquille, ma collègue a raison, le moyen est réellement bon, et elle l'a employé avec plein succès. " » [103]

Il se défend contre ce rêve dans son sommeil même, en se reprochant de céder à la folie pure et se débat pour s'en débarrasser. Il y réussit d'ailleurs avec l'aide d'un oiseau invisible qui lance un bref appel rieur et emporte le lézard dans son bec.

Faut-il nous risquer à interpréter ce rêve aussi, c'est-à-dire à le remplacer par les pensées latentes de la déformation desquelles il doit être issu? Il est aussi absurde que peut l'être un rêve, et cette absurdité des rêves est bien le fondement essentiel de la thèse qui refuse au rêve le caractère d'un acte psychique pleinement valable et le fait naître d'une excitation sans but défini des éléments psychiques.

Nous pouvons appliquer à ce rêve la technique qui peut être désignée comme la méthode régulière de l'interprétation des rêves. Elle consiste à ne pas se soucier de l'ensemble apparent qui se présente dans le rêve manifeste mais à considérer séparément chaque partie du contenu et à rechercher comment elle dérive des impressions, des souvenirs, et des associations libres du rêveur. Cependant, comme nous ne pouvons examiner Hanold, nous devrons nous contenter de nous référer à ses impressions et nous ne pourrons que très timidement mettre nos propres associations à la place des siennes.

« Quelque part au soleil Gradiva est assise, capture des lézards et elle dit en même temps... » — quelle impression du jour trouve-t-elle un écho dans cette partie du rêve? Incontestablement c'est la rencontre avec le monsieur d'un certain âge, le chasseur de lézards, qui est donc remplacé dans le rêve par Gradiva. Il était assis ou allongé sur une pente « brûlée de soleil » et il avait aussi adressé la parole à Hanold. Et les paroles de Gradiva dans le rêve sont aussi copiées sur les propos de cet homme. Comparons : « Le moyen indiqué par mon collègue Eimer est réellement bon, je l'ai déjà employé à plusieurs reprises avec plein succès. S'il vous plaît, tenez-vous tranquille. » [98] – Gradiva, dans le rêve, s'exprime dans les mêmes termes, à cela près que le collègue Eimer est remplacé par une collègue qu'elle ne nomme pas ; par ailleurs, le « à plusieurs reprises » des propos du zoologiste est absent dans le rêve et l'articulation des phrases quelque peu modifiée. Il semble donc que cet événement vécu dans la journée a été mué en rêve moyennant quelques modifications et déformations. Pourquoi justement cet événement-là et que signifient les déformations, le remplacement du monsieur âgé par Gradiva et l'introduction de l'énigmatique « collègue » ?

Il est une règle de l'interprétation du rêve qui dit : des propos entendus dans le rêve ont toujours pour origine des propos que l'on a entendus ou que l'on a tenus soi-même à l'état de veille. Il semble bien que cette règle soit suivie ici, les propos de Gradiva sont seulement une modification des propos du vieux zoologiste entendus dans la journée. Une autre règle de l'interprétation du rêve nous dirait que le remplacement d'une personne par une autre ou le mélange de deux personnes, par exemple en montrant l'une d'elles dans une situation qui est caractéristique de l'autre, signifie qu'on assimile les deux personnes l'une à l'autre, qu'il y a une concordance entre elles. Si nous nous risquons à appliquer cette règle aussi à notre rêve, voici ce que donnerait la traduction : Gradiva attrape des lézards comme cet homme âgé, elle s'entend à la capture des

lézards tout comme lui. Ce résultat n'est pas encore tout
à fait compréhensible mais nous nous trouvons encore
confrontés à une autre énigme. À quelle impression de
la journée devons-nous rapporter la « collègue » qui remplace dans le rêve le célèbre zoologiste Eimer? Par bonheur, nous n'avons guère le choix; la collègue en cause
ne peut être qu'une jeune fille, par conséquent cette
sympathique jeune dame en qui Hanold avait reconnu
une sœur voyageant en compagnie de son frère. « Elle
portait à son corsage une rose rouge de Sorrente, dont
la vue éveilla quelque chose dans le souvenir de celui
qui les observait d'un coin de la salle, mais il ne réussit
pas à savoir quoi avec précision. » [102] Cette remarque
du romancier nous donne certainement le droit de faire
appel à la jeune femme comme à la collègue du rêve.
Ce que Hanold ne pouvait se remémorer n'était assurément rien d'autre que les paroles de la présumée
Gradiva, lui disant, en lui demandant la fleur blanche
des tombeaux, qu'au printemps on apportait des roses à
celles qui avaient davantage de chance. Mais dans ces
propos se cachait une demande amoureuse. Que peut
donc bien être cette capture de lézards qui a si bien
réussi à cette collègue plus chanceuse?

Le lendemain Hanold surprend ceux qu'il suppose
être frère et sœur tendrement enlacés et peut ainsi corriger
son erreur du jour précédent. C'est vraiment un couple
d'amoureux et de plus, en voyage de noces, ainsi que
nous l'apprenons plus tard, lorsque tous deux viennent
troubler de manière si inattendue le troisième tête-à-tête
de Hanold et de Zoé. Si maintenant nous voulons supposer que Hanold, qui consciemment, les prend pour
frère et sœur, a reconnu aussitôt dans son inconscient
leur rapport réel qui, le jour suivant, se révèle sans aucune

ambiguïté, cela donne assurément une signification bien fondée aux paroles de Gradiva dans le rêve. La rose rouge devient alors le symbole de la relation amoureuse; Hanold comprend que tous deux sont ce que lui et Gradiva doivent encore devenir, la capture des lézards prend le sens de la capture d'un homme et les paroles de Gradiva signifient à peu près : Laisse-moi faire, je m'entends à conquérir un homme tout aussi bien que cette autre jeune fille.

Mais pourquoi fallait-il que cette vision pénétrante des intentions de Zoé apparaisse nécessairement dans le rêve sous la forme des paroles du vieux zoologiste? Pourquoi fallait-il que l'adresse de Zoé à capturer un homme soit représentée par celle du vieux monsieur capturant des lézards? Il nous sera facile de répondre à cette question; nous avons deviné depuis longtemps que le chasseur de lézards n'est personne d'autre que le professeur de zoologie Bertgang, le père de Zoé, qui doit d'ailleurs connaître Hanold, ce qui explique qu'il s'adresse à lui comme à une personne connue. Si nous supposons à nouveau que Hanold, dans son inconscient, a reconnu aussitôt le professeur — « Il avait le vague sentiment que le visage du chasseur de lézards s'était déjà trouvé une fois devant ses yeux, sans doute dans une des deux auberges » –, le revêtement étrange que prend l'intention attribuée à Zoé trouve son explication. Elle est la fille du chasseur de lézards, elle tient de lui son habileté.

Le remplacement du chasseur de lézards par Gradiva dans le contenu du rêve figure donc la relation entre les deux personnes qui a été reconnue dans l'inconscient; l'introduction de la « collègue » à la place du collègue Eimer permet au rêve d'exprimer que Hanold comprend que Zoé cherche à conquérir un homme. Jusqu'ici le

rêve a soudé, « condensé » comme nous disons, deux des
éléments vécus de la journée en une situation, afin de
procurer à deux découvertes qui n'avaient pas le droit
de devenir conscientes une expression certes très mécon-
naissable. Mais nous pouvons aller plus loin, nous pouvons diminuer plus encore l'étrangeté du rêve et démon-
trer l'influence qu'exercent aussi les autres événements
de la journée sur la forme que prend le rêve manifeste.

Nous pourrions nous déclarer insatisfaits de l'explication fournie jusqu'ici selon laquelle précisément la scène
de la capture des lézards a été prise comme noyau du
rêve et supposer que d'autres éléments encore des pensées
du rêve ont contribué par leur influence à la mise en
valeur du lézard dans le rêve manifeste. Il pourrait très
bien en être ainsi. Rappelons-nous que Hanold avait
découvert une fente dans le mur à l'endroit où il lui
avait semblé voir disparaître Gradiva, fente qui « était
juste assez large pour laisser passer un corps d'une sveltesse exceptionnelle ». Par cette constatation, il a été
amené à modifier son délire diurne : Gradiva ne s'enfonçait pas dans le sol lorsqu'elle disparaissait à ses yeux
mais regagnait sa tombe par ce chemin. Dans sa pensée
inconsciente, il pouvait se dire qu'il avait trouvé maintenant l'explication naturelle de la surprenante disparition
de la jeune fille. Mais cette façon de se faufiler à travers
des fentes étroites pour y disparaître ne rappelle-t-elle
pas le comportement des lézards? Gradiva, ce faisant,
ne se comporte-t-elle pas elle-même comme un agile
petit lézard? Nous pensons donc que cette découverte
de la fente dans le mur a contribué à déterminer le choix
de l'élément « lézard » pour le contenu manifeste du
rêve, que la situation qui met en scène un lézard dans
le rêve tient la place de cette impression de la journée,

tout aussi bien que la rencontre avec le zoologiste, père de Zoé.

Et si maintenant, enhardis, nous voulions tenter au surplus de trouver, dans le contenu du rêve, un représentant [a] de l'événement de la journée qui n'a pas encore été exploité, la découverte du troisième hôtel, l'*Albergo del Sole*? L'auteur a traité cet épisode de manière si détaillée et il lui a rattaché tant de choses que nous devrions être surpris que ce seul épisode n'ait pas apporté sa contribution à la formation du rêve. Hanold entre dans cet hôtel qu'il n'avait pas encore découvert, vu sa situation à l'écart et son éloignement de la gare, pour se faire servir une bouteille d'eau gazeuse et remédier par là à son état congestif. L'hôtelier profite de l'occasion pour vanter ses antiquités et lui montre une fibule qui, selon lui, aurait appartenu à cette jeune fille pompéienne découverte à proximité du forum, étroitement enlacée à son bien-aimé. Hanold, qui jusqu'alors n'avait jamais cru à cette histoire qu'on répète partout est maintenant contraint par une force inconnue de lui, à croire à la véracité de cette touchante histoire et à l'authenticité de la trouvaille : il l'achète et sort de l'hôtel avec son acquisition. Alors qu'il s'éloigne, il voit à une des fenêtres s'incliner vers lui un rameau d'asphodèle placé dans un verre d'eau et couvert de fleurs blanches, et cette vue lui semble confirmer l'authenticité de sa nouvelle possession. Il est maintenant pénétré par la conviction délirante que la fibule verte a appartenu à Gradiva et que celle-ci a été la jeune fille morte dans les bras de son bien-aimé. Il apaise la torturante jalousie qui s'empare alors de lui en se proposant d'acquérir le lendemain, auprès de Gra-

a. *Vertretung.*

diva elle-même, en lui présentant la fibule, une certitude au sujet de ce qu'il soupçonne. Voilà bien un étrange élément d'une nouvelle formation délirante, et aucune trace ne devrait y renvoyer dans le rêve de la nuit suivante?

Il vaut certes la peine d'expliquer la genèse de ce surcroît de délire, de rechercher à quel nouvel élément de découverte se substitue le nouvel élément de délire. Le délire naît sous l'influence de l'hôtelier du *Sole* en face duquel Hanold se comporte de façon si étrangement crédule qu'il semble être sous l'emprise d'une suggestion venant de lui. L'aubergiste lui montre une fibule de métal prétendue authentique et propriété de cette jeune fille que l'on a découverte ensevelie dans les bras de son bien-aimé, et Hanold, qui pourrait être assez critique pour douter de la véracité de l'histoire comme de l'authenticité de la fibule, est aussitôt captivé et crédule et fait l'achat de cette antiquité plus que douteuse. On ne comprend pas du tout pourquoi il devrait se comporter ainsi et rien n'indique que la personnalité de l'aubergiste lui-même pourrait nous donner la solution de cette énigme. Mais il y a encore une autre énigme dans cet incident et deux énigmes se résolvent volontiers l'une par l'autre. En quittant l'auberge, Hanold aperçoit à une fenêtre un rameau d'asphodèle trempé dans un verre, ce qui lui confirme l'authenticité de la fibule de métal. Comment cela est-il possible? Sur ce dernier point il est heureusement facile de trouver une solution. La fleur blanche est bien celle qu'il a offerte à Gradiva à midi, et il est tout à fait exact que quelque chose se trouve confirmé lorsqu'il la voit à une des fenêtres de cet hôtel. Non pas certes l'authenticité de la fibule, mais quelque chose d'autre qui lui était déjà apparu lors de la découverte de cet hôtel dont l'existence lui avait échappé jusqu'alors. Il s'était déjà comporté la veille comme s'il cherchait dans les deux hôtels de Pompéi où habitait la personne qui lui apparaissait sous la forme de Gradiva. Maintenant qu'il en découvre de façon si imprévue un troisième, il doit se dire dans son inconscient : « C'est donc ici qu'elle habite » ; puis lorsqu'il s'éloigne : « Effectivement, voilà bien la fleur d'asphodèle que je lui ai donnée : c'est donc bien sa fenêtre. » Telle serait donc la nouvelle découverte[a] à laquelle se substitue le délire, découverte[a] qui ne peut devenir consciente parce que sa prémisse, – Gradiva est un être vivant, une personne connue autrefois –, ne pouvait pas devenir consciente.

Mais comment la substitution du délire à la nouvelle découverte[a] a-t-elle bien pu se produire ? Il me semble que le sentiment de conviction qui s'attachait à la découverte[a] pouvait s'affirmer et se maintenait, alors que, à la place de la découverte elle-même inapte à devenir conscience, un autre contenu de représentation entrait en jeu, cependant relié à elle par une connexion intellectuelle. Ainsi, le sentiment de conviction entra dès lors en connexion avec un contenu qui, au fond, lui était étranger et ce dernier parvint, comme délire, à se faire reconnaître indûment. Hanold transfère sa conviction que Gradiva habite dans cette maison à d'autres impressions qu'il reçoit dans cette maison, à telle enseigne qu'il admet avec crédulité les propos de l'aubergiste, l'authenticité de la fibule de métal et la véracité de l'anecdote du couple d'amoureux découverts enlacés, mais seulement en mettant en relation ce qu'il a entendu dans cette maison avec Gradiva. La jalousie qui est déjà prête à se

107

a. *Einsicht.*

manifester en lui s'empare de ce matériel et, en contradiction même avec son premier rêve, naît le délire qui fait de Gradiva la jeune fille morte dans les bras de son amant et lui attribue la fibule dont il a fait l'acquisition.

Notre attention est attirée sur le fait que la conversation avec Gradiva et sa déclaration discrète « avec des fleurs » ont déjà provoqué d'importants changements chez Hanold. Des traits de désir masculin, des composantes de la libido se sont éveillés en lui sans pouvoir toutefois se passer du voile de prétextes conscients. Mais le problème de la « nature corporelle » de Gradiva, qui le poursuit tout au cours de cette journée, a indéniablement son origine dans la curiosité érotique du jeune homme pour le corps de la femme, même s'il semble devoir être tiré du côté de la science, par l'accent qui est mis, de façon consciente, sur l'étrange oscillation de Gradiva entre la vie et la mort. La jalousie est un autre signe de l'activité amoureuse naissante de Hanold; il manifeste cette jalousie au début de l'entretien du lendemain et parvient alors, à l'aide d'un nouveau prétexte, à toucher le corps de la jeune fille et à la frapper comme en des temps révolus depuis longtemps.

108   Mais il est temps de nous demander maintenant si la voie que prend la formation du délire, voie que nous avons déduite de la présentation qu'en donne le romancier, nous est connue par d'autres cas, ou si même elle est réellement possible. D'après notre savoir médical, nous ne pouvons que répondre que c'est assurément la voie correcte, peut-être la seule par laquelle le délire parvient d'une façon générale à la conviction inébranlable qui est inhérente à ses caractéristiques cliniques. Si le malade croit si fermement à son délire, cela ne se produit pas par un renversement de sa capacité de jugement et

ne provient pas de ce qui est erroné dans son délire. Mais tout délire recèle un grain de vérité, quelque chose en lui mérite réellement créance et telle est la source de la conviction du malade qui est ainsi justifiée dans cette mesure. Mais cette part de vérité a été longtemps refoulée. Quand elle parvient enfin, cette fois sous un aspect déformé, à se frayer un chemin jusqu'à la conscience, le sentiment de conviction qui s'y attache est, comme par compensation, hyperintense; il est attaché maintenant au substitut déformé de la part de vérité refoulée et le protège contre toute attaque critique. La conviction se déplace en quelque sorte de la part de vérité inconsciente sur la part d'erreur consciente qui lui est liée et reste fixée là précisément en raison de ce déplacement. Le cas de formation délirante qui résultait du premier rêve de Hanold n'est rien qu'un exemple analogue, sinon identique, d'un tel déplacement. Effectivement, le processus qui nous est décrit, celui de la genèse de la conviction dans le délire, ne diffère pas fondamentalement de la manière dont la conviction se forme dans des cas normaux où le refoulement n'est pas en jeu. Nous attachons tous notre conviction à des contenus de pensée dans lesquels le vrai se combine à l'erreur et nous la laissons s'étendre du premier à la seconde. Elle diffuse en quelque sorte du vrai au faux qui lui est associé et protège celui-ci contre la critique qu'il mérite, même si ce n'est pas de façon aussi inaltérable que dans le délire. Dans la psychologie normale, les relations, les protections, pour parler ainsi, peuvent aussi se substituer à la valeur propre de l'individu.

Je vais maintenant revenir au rêve et souligner un trait minime, mais qui n'est cependant pas dénué d'intérêt, et qui crée une connexion entre deux événements

109

qui suscitent le rêve. Gradiva avait établi un certain contraste entre la fleur blanche de l'asphodèle et la rose rouge; retrouver l'asphodèle à la fenêtre de l'*Albergo del Sole* devient un élément de preuve important pour la découverte inconsciente de Hanold qui s'exprime dans son nouveau délire. À cela s'ajoute le fait que la rose rouge sur la robe de la sympathique jeune fille aide Hanold dans son inconscient à parvenir à une juste appréciation de la relation qui unit cette dernière à son compagnon, si bien qu'elle peut apparaître dans le rêve comme la « collègue ».

Mais où se trouve alors dans le contenu manifeste du rêve la trace et le représentant [a] de cette découverte [b] de Hanold, dont nous avons trouvé le substitut dans son nouveau délire, la découverte que Gradiva habite avec son père dans le troisième hôtel (caché) de Pompéi, à l'*Albergo del Sole*? Cela se trouve tout entier dans le rêve, sans même être très déformé; j'hésite seulement à y faire référence car je sais que même les lecteurs qui ont eu la patience de me suivre jusqu'ici vont maintenant se hérisser fortement contre mes tentatives d'interprétation. La découverte [b] de Hanold est, je le répète, entièrement communiquée dans le contenu du rêve, mais elle est dissimulée de façon si habile, qu'elle doit nécessairement passer inaperçue. Elle y est cachée derrière un jeu sur les mots, une ambiguïté. « Quelque part au soleil est assise Gradiva », cela, nous l'avons rapporté à bon droit au lieu où Hanold a rencontré le zoologiste, son père. Mais cela ne peut-il pas signifier aussi « au Soleil », c'est-à-dire à l'*Albergo del Sole,* c'est à l'auberge du Soleil

a. *Vertretung.*
b. *Entdeckung.*

qu'habite Gradiva? Et le « quelque part » qui n'a pas de rapport avec la rencontre avec le père ne semble-t-il pas si hypocritement imprécis, justement parce qu'il introduit le renseignement précis sur le lieu où réside Gradiva? D'après l'expérience que j'ai acquise dans l'interprétation des rêves réels, je suis tout à fait certain qu'il faut comprendre ainsi l'ambiguïté, mais je ne me risquerais vraiment pas à soumettre à mes lecteurs ce fragment de travail interprétatif si l'auteur ne m'était pas ici d'un puissant secours. Le jour suivant, il met dans la bouche de la jeune fille, lorsqu'elle aperçoit la fibule de métal, le même jeu de mots que celui auquel nous avons recours pour l'interprétation du lieu dans le contenu du rêve. « Tu l'as peut-être trouvée au *soleil*, qui se livre ici à de pareils tours [a]. » Et comme Hanold ne comprend pas, elle explique qu'elle veut parler de l'auberge du *Soleil*, qu'on appelle dans ce pays *Sole*, où elle avait déjà vu elle aussi la prétendue trouvaille.

Et maintenant nous voudrions tenter l'expérience de substituer au rêve « remarquablement insensé » de Hanold les pensées inconscientes qui se dissimulent derrière lui et qui en diffèrent au plus haut point. Quelque chose comme : « Elle habite bien au Soleil avec son père, pourquoi se livre-t-elle avec moi à un pareil jeu? Veut-elle se moquer de moi? Ou bien serait-il possible qu'elle m'aime et veuille me prendre pour mari? » Cette dernière possibilité reçoit, sans doute encore durant le sommeil, une réponse négative : c'est là pure folie, réponse qui est apparemment dirigée contre le rêve manifeste tout entier

Des lecteurs critiques ont maintenant le droit de se

a. « ...qui se livre ici à de pareils tours ». Le texte de Jensen dit exactement : « ...qui donne le jour à bien des choses de ce genre » (p. 111).

demander où nous avons pris cette interpolation, jusqu'ici sans fondement, de la raillerie de Gradiva à l'égard de Hanold. À cela, *L'interprétation du rêve* répond que lorsque la raillerie, le sarcasme, la contradiction acharnée se présentent dans les pensées du rêve, cela s'exprime par la forme insensée du rêve manifeste, par l'absurdité du rêve [a]. Celle-ci n'équivaut donc pas à une paralysie de l'activité psychique; elle est au contraire un des moyens de représentation dont le travail du rêve se sert. Ici aussi, comme dans tous les passages particulièrement difficiles, l'auteur vient à notre aide. Le rêve insensé comporte encore un bref épilogue, dans lequel un oiseau pousse un cri rieur et emporte le lézard dans son bec. Mais Hanold avait entendu pareil appel rieur après la disparition de Gradiva. Il provenait vraiment de Zoé, qui, par ce rire, se débarrassait de la sombre gravité de son rôle de personne venue du monde souterrain. Gradiva s'était réellement moquée de lui. Mais l'image du rêve, où l'oiseau emporte le lézard, peut rappeler cette autre image d'un rêve antérieur, dans lequel l'Apollon du Belvédère emportait la Vénus du Capitole.

Peut-être subsiste-t-il encore chez plus d'un lecteur l'impression que la traduction de la situation de la capture du lézard par l'idée de la demande amoureuse n'est pas suffisamment établie. Peut-être sera-t-elle étayée si nous affirmons que dans sa conversation avec sa collègue, Zoé confesse précisément ce dont les pensées de Hanold la soupçonnent, lorsqu'elle déclare être sûre de « déterrer » à Pompéi quelque chose d'intéressant pour elle. Elle fait là une incursion dans le domaine de

a. Cf. *L'interprétation du rêve* (1900a), chap. VI, section G, à la fin de la discussion sur les « rêves absurdes ».

représentation de l'archéologie, de même que Hanold avait emprunté au domaine zoologique sa comparaison avec le lézard, comme s'ils tendaient l'un vers l'autre, chacun voulant adopter le caractère de l'autre.

Nous serions ainsi venu à bout de l'interprétation de ce deuxième rêve aussi. Tous deux sont devenus accessibles à notre compréhension, si l'on présuppose que le rêveur, dans sa pensée inconsciente, sait tout ce qu'il a oublié dans sa pensée consciente, qu'il juge là avec exactitude tout ce qu'il méconnaît ici dans son délire. Ce faisant, nous avons dû, certes, avancer des affirmations qui, parce qu'elles sont étrangères au lecteur, lui paraîtront du même coup étranges, et qui, sans doute, éveillent souvent le soupçon que nous donnons comme étant le point de vue du romancier, ce qui n'est que notre propre point de vue. Nous désirons avant tout dissiper ce soupçon et pour cette raison nous sommes tout disposé à examiner plus en détail un des points les plus épineux — je veux parler de l'utilisation de mots et de propos ambigus tels que : « Quelque part au soleil est assise Gradiva. »

Tout lecteur de *Gradiva* doit être frappé par la fréquence avec laquelle l'auteur met dans la bouche de ses deux protagonistes des propos à double sens. Hanold ne donne qu'un sens à ces propos et seule Gradiva, son interlocutrice, saisit leur autre sens. Ainsi, lorsqu'il s'écrie après la première réponse de Gradiva : « Je savais que tel était le son de ta voix », et que Zoé, qui n'est pas encore au courant, est obligée de lui demander comment cela peut se faire, puisqu'il ne l'a pas encore entendue parler. Dans le deuxième entretien, la jeune fille est déroutée pendant un instant par le délire de Hanold, car il lui assure l'avoir aussitôt reconnue. Elle doit nécessai-

112

rement comprendre ces paroles dans le sens qui est exact
pour l'inconscient de Hanold, c'est-à-dire comme la
reconnaissance de leurs relations qui remontent à l'enfance, alors que Hanold ne sait naturellement rien de la
portée de son discours et ne l'interprète que par rapport
au délire qui le domine. Les propos de la jeune fille, en
revanche, chez qui la plus grande clarté d'esprit est
opposée au délire de Hanold, sont intentionnellement
ambigus. L'un de leurs sens épouse le délire de Hanold
afin de pouvoir pénétrer dans sa pensée consciente, l'autre
s'élève au-dessus du délire et nous donne généralement
la traduction de ce délire et la vérité inconsciente qu'il
représente [a]. C'est un triomphe de spirituelle ingéniosité
que de réussir à présenter dans la même formulation le
délire et la vérité.

Les propos où Zoé explique la situation à son amie
et se débarrasse en même temps de sa compagnie gênante
sont imprégnés de telles ambiguïtés; ils vont en fait du
livre au lecteur et s'adressent plus à nous-mêmes qu'à
l'heureuse collègue. Dans les conversations avec Hanold
le double sens est, la plupart du temps, établi par le
fait que Zoé se sert de la symbolique à laquelle obéit,
comme nous l'avons vu, le premier rêve de Hanold, avec
son assimilation de l'ensevelissement au refoulement, de
Pompéi à l'enfance. Ainsi peut-elle, d'une part, grâce à
ses propos, persister dans le rôle que lui assigne le délire
de Hanold et d'autre part toucher aux circonstances
réelles et éveiller, dans l'inconscient de Hanold, la
compréhension de ces circonstances.

« Je me suis depuis longtemps habituée à être morte »
113 (p. 93). « C'est la fleur de l'oubli que je dois recevoir

___

a. *die von ihm vertretene unbewusste Wahrheit.*

de ta main » (p. 94). Dans ces propos se fait timidement jour le reproche qui éclate avec évidence dans l'algarade finale, lorsqu'elle compare Hanold à un archéoptéryx. « C'est que quelqu'un doive mourir pour se retrouver en vie. Mais en archéologie il faut nécessairement que les choses se passent ainsi! » (p. 128), dira-t-elle encore, plus tard, une fois le délire dissipé, comme pour donner la clé de ses propres paroles ambiguës. Mais elle réussit la plus belle application de sa symbolique lorsqu'elle demande (p. 112) : « J'ai comme l'impression qu'une fois déjà nous avons mangé notre pain ensemble, il y a deux mille ans. Tu ne te rappelles pas? », propos dans lesquels il est impossible de ne pas reconnaître la substitution du passé historique à l'enfance et l'effort d'éveiller le souvenir de cette dernière.

Mais d'où provient cette prédilection frappante pour les propos ambigus, dans *Gradiva*? Elle ne nous apparaît pas comme un hasard mais comme la conséquence nécessaire des prémisses du récit. Elle n'est rien d'autre que le pendant de la double détermination des symptômes, dans la mesure où les propos sont eux-mêmes des symptômes, et, comme ceux-ci, procèdent de compromis entre le conscient et l'inconscient. À ceci près que l'on remarque plus facilement la double origine des propos que par exemple celle des actions, et, quand on parvient – ce que la souplesse du matériel verbal rend souvent possible – à donner une expression juste à chacune des deux intentions du discours dans le même agencement de mots, on se trouve en présence de ce que nous appelons une « ambiguïté ».

Au cours du traitement psychothérapeutique d'un délire ou d'un trouble analogue, on développe fréquemment chez le malade ce genre de discours ambigus, qui sont des symptômes nouveaux d'une durée très fugitive, et l'on peut soi-même se trouver dans la position de se servir d'eux; et ce faisant, il n'est pas rare qu'au moyen du sens déterminé qu'ils ont pour la conscience du malade, on suscite la compréhension du sens valable dans l'inconscient. Je sais par expérience que ce rôle de l'ambiguïté choque en général au plus haut point le profane et produit les malentendus les plus grossiers, mais en tout état de cause le romancier avait raison de présenter aussi, dans sa création, ce trait caractéristique des processus qui sont à l'œuvre dans la formation du rêve et du délire.

IV

Avec l'entrée en scène de Zoé en tant que médecin s'éveille en nous, comme nous l'avons déjà dit, un intérêt nouveau. Il nous tarde de savoir si une guérison, comme celle qu'elle mène à bien sur la personne de Hanold, est compréhensible ou même possible, si l'auteur a discerné avec autant de justesse les conditions de la disparition d'un délire que celles de sa genèse.

Sans aucun doute, nous serons confrontés ici à une conception qui dénie par principe au cas dépeint par le narrateur un tel intérêt, et ne reconnaît là aucun problème qui nécessite d'être éclairci. Il ne resterait à Hanold qu'à dissiper son délire, une fois que l'objet de celui-ci, la présumée Gradiva elle-même, l'a convaincu de l'inexactitude de toutes ses constructions et lui a donné les explications les plus naturelles de tout ce qui est énigmatique, par exemple comment elle connaît son nom. Ainsi, le cas serait réglé de façon logique ; mais comme la jeune fille dans ce contexte lui avoue son amour, l'auteur, assurément à la satisfaction de ses lectrices, terminerait son récit, qui ne manque d'ailleurs pas d'intérêt, par l'heureuse conclusion habituelle, le mariage. L'autre conclusion aurait été plus logique et tout aussi possible : le jeune savant, son erreur une fois élucidée, prendrait congé de la jeune dame avec des remerciements polis, en motivant le refus qu'il oppose à son amour par le fait que, s'il peut bien développer un intérêt intense pour des femmes antiques de bronze ou de pierre et pour leurs modèles, s'ils étaient accessibles à un contact, il ne sait que faire d'une jeune fille contemporaine de chair et de sang. Le romancier aurait ainsi soudé de façon tout à fait arbitraire la fantaisie archéologique à une histoire d'amour.

En rejetant cette conception comme impossible, nous remarquons d'abord que nous n'avons pas à attribuer le changement qui s'opère chez Hanold seulement à l'abandon du délire. Pendant et même avant la dissipation de ce délire, l'éveil en lui du besoin d'amour est indéniable, besoin d'amour qui débouche comme tout naturellement sur la demande amoureuse qui s'adresse à la jeune fille qui l'a délivré de son délire. Nous avons déjà souligné sous quels prétextes et quels déguisements la curiosité pour sa nature corporelle, la jalousie et la brutale pulsion d'emprise masculine s'expriment chez lui en plein délire, et cela depuis que le désir amoureux refoulé lui a inspiré son premier rêve. Ajoutons comme témoignage supplémentaire que le soir qui suit le deuxième entretien avec Gradiva, un être féminin vivant lui apparaît pour la première fois comme sympathique, bien qu'il fasse à son dégoût antérieur des couples en voyage de noces la concession de ne pas reconnaître dans cette femme sympathique une jeune mariée. Mais, le matin suivant, un hasard le rend témoin d'un échange de tendresses entre cette jeune personne et son frère présumé et il se retire alors avec crainte comme s'il avait troublé un acte sacré. Les sarcasmes que lui inspirent des « Auguste et Grete » sont oubliés, le respect de la vie amoureuse s'est installé en lui.

C'est ainsi que l'auteur a étroitement lié la résolution du délire et l'émergence du besoin d'amour, qu'il a préparé comme nécessaire le dénouement qui aboutit à une demande amoureuse. En effet, il connaît mieux que ses critiques l'essence du délire, il sait qu'une composante du désir amoureux s'allie à une composante de refus pour que naisse le délire, et il fait en sorte que la jeune fille qui entreprend la guérison, sente, dans le délire de Hanold, la composante qui lui agrée. Seule cette découverte peut la décider à se consacrer à un traitement, seule la certitude de se savoir aimée de lui peut la déterminer à lui avouer son amour. Le traitement consiste à lui restituer de l'extérieur les souvenirs refoulés qu'il ne peut pas libérer à partir de l'intérieur; mais cela n'aurait aucun effet si le thérapeute ne tenait pas compte, ce faisant, des sentiments de Hanold et si la traduction du délire n'était pas finalement : « Regarde, tout cela signifie seulement que tu m'aimes. »

Le procédé que le romancier fait employer à sa Zoé pour guérir le délire de son ami d'enfance, présente une ressemblance poussée, je dirais même une totale concordance dans sa nature, avec une méthode thérapeutique que le docteur J. Breuer et l'auteur de ces lignes ont introduite dans la médecine en 1895 et au perfectionnement de laquelle ce dernier s'est consacré depuis lors. Ce mode de traitement que Breuer a d'abord nommé « cathartique » et que l'auteur de ces lignes préfère appeler « psychanalytique » consiste, chez les malades souffrant de troubles analogues au délire de Hanold, à amener à la conscience, en quelque sorte de force, l'inconscient dont le refoulement les a rendus malades, comme le fait

Gradiva pour les souvenirs refoulés de Hanold qui ont trait à leurs relations enfantines. Certes, Gradiva a la tâche plus facile que le médecin; elle se trouve dans une position qu'on peut qualifier d'idéale à maints égards. Le médecin, qui ne perce pas à jour d'emblée son malade et qui ne porte pas en lui comme souvenir conscient ce qui est inconsciemment à l'œuvre chez ce dernier, doit faire appel à une technique compliquée pour compenser ce désavantage. Il doit apprendre, à partir des idées conscientes qui viennent au malade et de ses communications à conclure avec une grande certitude au refoulé qui est en lui, à deviner l'inconscient là où il se trahit derrière les manifestations et les actes conscients du malade. Il produit alors quelque chose d'analogue à ce que comprend Norbert Hanold lui-même à la fin du récit lorsqu'il retraduit le nom de « Gradiva » en celui de « Bertgang ». La perturbation disparaît alors, une fois ramenée à son origine; l'analyse apporte aussi en même temps la guérison.

Cependant, la ressemblance entre le procédé auquel a recours Gradiva et la méthode analytique de la psychothérapie ne se limite pas à ces deux points : rendre conscient le refoulé et aboutir à la coïncidence entre l'élucidation et la guérison. Elle s'étend aussi à ce qui se révèle être l'essentiel de toute la transformation, à l'éveil des sentiments. Toute perturbation analogue au délire de Hanold, qu'en terme scientifique nous appelons psycho-névrose, a pour prémisse le refoulement d'une partie de la vie pulsionnelle, disons-le sans crainte : de la pulsion sexuelle; et à chaque tentative d'amener à la conscience la cause inconsciente et refoulée de la maladie, la composante pulsionnelle concernée s'éveille nécessairement pour un combat renouvelé avec les puissances qui la refoulent, afin d'arriver, dans une issue finale, à un équilibre avec elles, souvent avec de violentes manifestations réactionnelles. Le processus de la guérison s'accomplit dans une récidive de l'amour, si nous rassemblons sous le terme d'« amour » toutes les diverses composantes de la pulsion sexuelle et cette récidive est indispensable, car les symptômes à cause desquels le traitement a été entrepris ne sont rien d'autre que des précipités de luttes antérieures liées au refoulement ou au retour du refoulé, et ne peuvent être dissipés et balayés que par une nouvelle marée des mêmes passions. Tout traitement psychanalytique est une tentative pour libérer de l'amour refoulé qui avait trouvé dans un symptôme une piètre issue de compromis. Et cette concordance avec le processus de guérison dépeint par l'auteur de *Gradiva* 119 atteint son apogée si nous ajoutons que dans la psychothérapie analytique aussi la passion réveillée, qu'elle soit l'amour ou la haine, choisit chaque fois pour objet la personne du médecin.

Mais là commencent à vrai dire les différences qui font du cas de Gradiva un cas idéal, auquel ne peut accéder la technique médicale. Gradiva peut répondre à l'amour qui perce de l'inconscient à la conscience, le médecin ne le peut pas; Gradiva a été elle-même l'objet de l'amour refoulé d'autrefois. Sa personne offre aussitôt un but désirable à l'aspiration amoureuse libérée. Le médecin a été un étranger et il doit aspirer à redevenir un étranger après la guérison; souvent, il ne sait quoi conseiller aux patients guéris pour qu'ils puissent utiliser dans la vie leur capacité d'amour recouvrée. De quels expédients et de quels succédanés le médecin se sert-il alors pour s'approcher avec plus ou moins de succès du modèle d'une guérison par l'amour, telle que nous l'a

dépeinte l'auteur de *Gradiva*? L'esquisser nous emmè
nerait bien trop loin de la tâche que nous nous sommes
fixée.

Et maintenant venons-en à la dernière question, que
nous avons déjà esquivée plusieurs fois. Nos vues sur le
refoulement, la genèse d'un délire et de troubles analogues, la formation et l'explication de rêves, le rôle de
la vie amoureuse et le mode de traitement de ce genre
de troubles sont loin d'être le bien commun de la science
et encore moins la possession assurée des gens cultivés.
Si l'intuition [a] qui permet à notre auteur de créer sa
« fantaisie » de telle manière que nous pouvons la disséquer comme l'histoire d'une maladie réelle est de la
nature d'une connaissance, nous serions curieux d'apprendre quelles sont les sources de cette connaissance.
Un des membres de ce cercle, qui, ainsi que nous l'avons
exposé au début, s'est intéressé aux rêves dans *Gradiva*
et à leur interprétation possible, s'est tourné vers le
romancier en lui demandant directement s'il avait eu
connaissance de théories très similaires dans le domaine
de la science. Notre auteur répondit, comme il était
prévisible, par la négative, et même avec quelque brus-
querie [b]. C'était son imagination, dit-il, qui lui avait
inspiré cette *Gradiva,* et elle lui avait procuré beaucoup
de plaisir; ceux à qui elle ne plaisait pas, n'avaient qu'à
s'en détourner. Il ne soupçonnait pas combien elle avait
plu aux lecteurs.

Il est fort possible que la récusation du romancier ne
s'arrête pas là. Peut-être contestera-t-il d'une manière
générale la connaissance des règles dont nous avons montré

120

---

a. *Einsicht.*
b. Voir à ce sujet la Préface, p. 21, et les lettres de Wilhelm Jensen
à Sigmund Freud, p. 253.

qu'il les avait suivies et niera-t-il toutes les intentions que nous avons reconnues dans son ouvrage. Je ne considère pas cela comme invraisemblable, mais alors seules deux hypothèses sont possibles. Ou bien nous avons fourni une véritable caricature d'interprétation en déplaçant dans une œuvre d'art innocente des tendances dont son créateur n'avait pas la moindre idée, et nous avons par là prouvé une fois de plus combien il est facile de trouver ce que l'on cherche et dont on est soi-même imbu, possibilité dont l'histoire de la littérature fournit les exemples les plus curieux. Que chaque lecteur décide alors en lui-même s'il peut adopter cette explication; bien entendu, nous nous en tenons à l'autre conception, qu'il nous reste encore à exposer. Nous estimons qu'un écrivain n'a nul besoin de rien savoir de telles règles et de telles intentions, si bien qu'il peut nier en toute bonne foi de s'y être conformé, et que cependant nous n'avons rien trouvé dans son œuvre qui n'y soit contenu. Nous puisons vraisemblablement à la même source, nous travaillons sur le même objet, chacun de nous avec une méthode différente, et la concordance dans le résultat semble garantir que nous avons tous deux travaillé correctement. Notre manière de procéder consiste dans l'observation consciente, chez les autres, des processus psychiques qui s'écartent de la norme afin de pouvoir en deviner et en énoncer les lois. L'écrivain, lui, procède autrement; c'est dans sa propre âme, qu'il dirige son attention sur l'inconscient, qu'il guette ses possibilités de développement et leur accorde une expression artistique, au lieu de les réprimer par une critique consciente. Ainsi il tire de lui-même et de sa propre expérience ce que nous apprenons des autres : à quelles lois doit obéir l'activité de cet inconscient. Mais il n'a pas besoin de

121

formuler ces lois, il n'a même pas besoin de les reconnaître clairement; parce que son intelligence le tolère, elles se trouvent incarnées dans ses créations. Nous développons ces lois à partir de l'analyse de ses œuvres, comme nous les découvrons à partir des cas de maladies réelles, mais la conclusion semble irréfutable : ou bien tous deux, le romancier comme le médecin, ont mal compris l'inconscient de la même manière, ou bien nous l'avons tous deux compris correctement. Cette conclusion nous est très précieuse; pour y parvenir, il valait la peine d'examiner de près cette représentation de la formation et de la guérison d'un délire, ainsi que les rêves de la *Gradiva* de Jensen, en recourant aux méthodes de la psychanalyse médicale.

Nous serions arrivé au terme de notre étude. Cependant un lecteur attentif pourrait nous faire observer qu'au début, nous avons lancé l'hypothèse que les rêves seraient des désirs représentés comme accomplis et qu'ensuite nous n'en aurions pas apporté la preuve. Nous répliquerons que nos développements peuvent fort bien montrer combien il serait injustifié de prétendre couvrir de la seule formule : « le rêve est un accomplissement de désir » les éclaircissements que nous avons à donner sur ce chapitre. Mais notre affirmation subsiste et il est facile d'en apporter la preuve également pour les rêves qui apparaissent dans *Gradiva*. Les pensées latentes du rêve – nous savons maintenant ce qu'il faut entendre par là – peuvent être de genres très divers; dans *Gradiva* ce sont des « restes diurnes », des pensées qui ont subsisté sans être entendues ni liquidées du fait de l'activité psychique de la vie diurne. Mais pour qu'un rêve naisse d'elles, la participation d'un désir – la plupart du temps inconscient – est requise; celui-ci instaure la force motrice nécessaire à la formation du rêve, les restes diurnes en fournissent le matériel. Dans le premier rêve de Norbert Hanold, deux désirs sont en concurrence l'un avec l'autre pour créer le rêve, l'un est même capable d'accéder à la conscience, l'autre appartient certes à l'inconscient et est actif à partir du refoulement. Le premier serait le désir, compréhensible chez tout archéologue, d'avoir été le témoin oculaire de cette fameuse catastrophe de l'année 79. Quel sacrifice serait trop grand, pour un spécialiste de l'Antiquité, si ce désir pouvait se réaliser autrement que par la voie du rêve! L'autre désir, l'autre formateur du rêve, est de nature érotique : être présent quand la femme aimée s'allonge pour dormir, c'est ainsi qu'on pourrait l'exprimer en gros ou encore de façon imparfaite. C'est lui dont le refus fait du rêve un rêve d'angoisse. Les désirs moteurs du deuxième rêve sont peut-être moins évidents, mais si nous rappelons leur traduction, nous n'hésiterons pas à les qualifier également d'érotiques. Le désir d'être capturé par la femme aimée, de se conformer et de se soumettre à elle, ainsi qu'on est en droit de le déduire de la situation de la capture du lézard, a en fait un caractère passif, masochiste. Le lendemain, le rêveur frappe la femme aimée comme s'il était sous l'emprise du courant érotique opposé. Mais il nous faut nous arrêter ici, sans quoi nous oublierions peut-être vraiment que Hanold et Gradiva ne sont que des créatures d'un romancier.

SUPPLÉMENT À LA DEUXIÈME ÉDITION

[1912]

Au cours des cinq années qui se sont écoulées depuis la rédaction de cette étude, la recherche psychanalytique s'est enhardie à aborder les créations des écrivains dans une autre intention encore. Elle ne cherche plus seulement en elles des confirmations de ses trouvailles concernant des individus névrosés de la vie réelle; elle demande aussi à savoir à partir de quel matériel d'impressions et de souvenirs l'écrivain a construit son œuvre et par quelles voies, grâce à quels processus, il a fait entrer ce matériel dans l'œuvre littéraire.

Il s'est avéré que ces questions peuvent trouver une réponse de préférence chez ces écrivains qui, dans une naïve joie de créer, ont coutume, comme notre W. Jensen (mort en 1911) de s'abandonner aux impulsions de leur imagination. Peu après la publication de mon étude analytique sur *Gradiva*, j'avais essayé d'intéresser le romancier, qui était d'un âge avancé, à ces nouvelles tâches de la recherche psychanalytique; mais il refusa sa coopération.

Depuis lors, un ami a attiré mon attention sur deux autres nouvelles du même auteur, qui pourraient avoir une relation génétique avec *Gradiva* en tant qu'études préliminaires ou en tant qu'efforts antérieurs pour résoudre ce même problème de la vie amoureuse d'une manière satisfaisante du point de vue poétique. La première de ces nouvelles, qui a pour titre *Der rote Schirm* [*Le parapluie rouge*], rappelle *Gradiva* par le retour de nombreux petits motifs tels que la fleur blanche des tombeaux, l'objet oublié (le carnet d'esquisses de Gradiva), le petit animal chargé de signification (le papillon et le lézard dans *Gradiva*), mais avant tout par la répétition de la situation principale, l'apparition de la jeune fille défunte ou que l'on croit morte, dans l'ardeur du soleil de midi. Dans le récit *Le parapluie rouge,* c'est une ruine de château délabré qui fournit le théâtre de l'apparition comme dans *Gradiva* ce sont les décombres exhumés de Pompéi.

L'autre nouvelle, *Im gottschen Hause* [*Dans la maison gothique*], ne présente dans son contenu manifeste aucune concordance de ce genre ni avec *Gradiva* ni avec *Le parapluie rouge,* mais quelque chose indique de façon indéniable la proche parenté de leur sens latent : la nouvelle est liée à ce dernier récit en une unité extérieure par un titre commun (*Übermächte* [*Les forces supérieures*], deux nouvelles de Wilhelm Jensen, Berlin, Emil Felber, 1892). Il est facile de voir que les trois récits traitent du même thème, le développement d'un amour (dans *Le parapluie rouge* une inhibition amoureuse) issu de l'effet après-coup d'une vie en commun pleine d'intimité ressemblant à une relation entre frère et sœur, au cours des années d'enfance [a].

J'apprends encore par un compte rendu de la comtesse Eva Baudissin (dans le quotidien viennois *Die Zeit* du

a. Voir le commentaire de Jensen sur ces deux nouvelles, p. 258-259.

11 février 1912) que le dernier roman de Jensen *Fremd-*
linge unter den Menschen [*Des étrangers parmi les hommes*],
qui renferme maintes choses provenant de la propre
jeunesse de notre auteur, dépeint le destin d'un homme
qui « reconnaît une sœur dans la femme aimée ».

On ne trouve pas trace, dans les deux nouvelles antérieures, du motif principal de *Gradiva,* la démarche
d'une beauté particulière, le pied dressé à la verticale.

Le bas-relief, auquel Jensen attribue une origine
romaine, qui montre la jeune fille possédant cette démarche
et qu'il nomme « Gradiva », appartient en réalité à l'apo- 125
gée de l'art grec. Il se trouve au musée Chiaramonti du
Vatican sous le numéro 644 et F. Hauser [1903] l'a
complété et interprété. En rapprochant « Gradiva » d'autres
fragments qui se trouvaient à Florence et à Munich, il
obtint deux panneaux de bas-relief représentant chacun
trois figures, dans lesquelles il semblait possible de reconnaître les *Horai,* déesses de la végétation, et les divinités
apparentées de la rosée qui féconde.

Appendice

TROIS LETTRES DE JENSEN À FREUD
À PROPOS DE « GRADIVA »

Nous donnons ici, pour la première fois en français*, les trois lettres que Jensen écrivit à Freud, la première après réception de Délire et rêves, *les deux suivantes en réponse à des lettres de Freud. Celles-ci ne semblent pas avoir été conservées. Elles ne se trouvent en tout cas pas aux* Sigmund Freud Archives *de New York, à ce que nous ont assuré leur ancien directeur, le docteur Kurt Eissler, et leur directeur actuel, le docteur Harold Blum. Les réponses de Jensen permettront cependant au lecteur de se faire une idée relativement précise du contenu de ces lettres.*

Prien am Chiemsee, le 13 mai 1907
Bavière

Cher Monsieur [a],

Votre commentaire de ma *Gradiva* m'a été expédié de Munich à ma maison de campagne où je réside

---

* Elles ont été publiées en allemand dans la revue *Psychoanalytische Bewegung*, en 1929.

a. Dans l'original, *hochgeehrter Herr* (« hautement honoré Monsieur »), formule plus cérémonieuse que le courant *sehr geehrter Herr* présentement, et je l'ai lu aussitôt. Il m'a bien entendu vivement intéressé et causé le plus grand plaisir; je vous adresse mes chaleureux remerciements pour votre envoi. Certes, cette petite narration n'avait pas « rêvé » de se voir l'objet d'un jugement et d'un éloge formulés à partir du point de vue psychiatrique, et il vous arrive en effet, çà et là, de lui prêter des intentions que l'auteur n'a pas eues à l'esprit, du moins consciemment. Dans l'ensemble, cependant, pour l'essentiel, je peux affirmer sans restriction que votre écrit est allé au fond des intentions de mon petit livre et leur a rendu justice. L'attitude la plus judicieuse serait sans doute d'imputer à l'intuition poétique la description des processus psychiques et des actions qui en découlent, même si les études de médecine que j'ai faites autrefois ont aussi pu jouer un certain rôle. Toutefois, je n'ai pas le moindre souvenir d'avoir répondu « de façon un peu brusque » à une requête, et s'il en est vraiment ainsi je le regrette et vous prie de dire de ma part à l'intéressé : *peccavi* [a].

J'ai aussitôt commandé chez l'éditeur quelques exemplaires de plus du premier cahier des *Schriften zur angewandten Seelenkunde* [b] et ne manquerai pas de me laisser instruire par les numéros suivants.

Agréez, cher Monsieur, avec mes plus amicales salutations, l'expression de ma gratitude.

Votre dévoué
Wilhelm Jensen

(« très honoré Monsieur »). L'adresse de la seconde lettre de Jensen est identique, celle de la troisième est *hochgeehrter Herr Professor*. — Les trois lettres se terminent par « ...*ergeben der Ihrige/Wilhelm Jensen* (« ...dévoué. Votre Wilhelm Jensen »).

a. Il s'agit de Jung, qui entra en relation avec Jensen avant Freud.
b. C'est là que l'étude de Freud parut pour la première fois. Voir la Préface, p. 10 et la Note liminaire, p. 25.

Prien am Chiemsee, le 25 mai 1907
Bavière

Cher Monsieur,

Votre réponse à ma lettre m'a fait grand plaisir, mais je me trouve malheureusement dans l'incapacité de vous fournir les renseignements que vous souhaitez. Ce que je peux vous dire se limite à ceci :

L'idée de ma petite « fantaisie » a jailli du bas-relief antique, qui produisit sur moi aussi une impression poétique particulièrement forte. Je le possède en plusieurs exemplaires, dans une excellente reproduction de Narny à Munich (de là vient aussi le frontispice); toutefois, j'ai cherché pendant des années l'original au *Museo Nazionale* de Naples sans jamais le découvrir. J'ai seulement appris qu'il se trouvait dans une collection à Rome. Si vous voulez vous exprimer ainsi, il entrait peut-être un peu d'une « idée fixe » dans la croyance préconçue, sans fondement, qui me faisait placer le bas-relief à Naples, croyance encore amplifiée par le fait que j'y apercevais la représentation d'une Pompéienne. C'est ainsi qu'en esprit, je la voyais marcher sur les dalles de Pompéi, site qui m'était très bien connu, où j'avais passé plus d'une fois la journée parmi les ruines. Je m'y attardais le plus volontiers à l'heure silencieuse de midi, qui chassait tous les autres visiteurs vers les tables d'hôtes, et, dans cette solitude torride, j'arrivais toujours à la frontière qui fait passer la vision éveillée à une vision imaginaire. C'est de cet état, dont j'avais ressenti la possibilité, que sortit par la suite mon Norbert Hanold.

Le reste provint d'une motivation littéraire. Il devait dépendre de prémisses rendant possible le développement de la représentation délirante [a], en la faisant passer au grotesque, sinon même à l'absurdité complète. Hanold n'est qu'en apparence un individu de sens rassis; en réalité, il est dominé par une imagination des plus vives et des plus capables d'égarement; de même, ce n'est pas, au fond, un ennemi de la beauté féminine, comme on le devine à travers le plaisir que lui donne le bas-relief. Les « Auguste et Grete » l'agacent justement parce qu'il porte en lui le désir latent de ce qu'à défaut d'un meilleur mot j'appellerai un « idéal » féminin. Cependant, il ignore tout de ce qui se passe en lui, il sent seulement qu'il lui manque quelque chose, au point que « les mouches » le mettent de mauvaise humeur. En sa personne j'ai voulu représenter et rendre crédible un individu insatisfait, qui se trompe sur lui-même, constamment soumis à une illusion.

La littérature exigeait impérieusement un accord ancré dans le réel entre le bas-relief et la *Rediviva*; elle réclamait la ressemblance extérieure. Celle-ci n'est évidemment conçue comme parfaite ni pour la physionomie, ni pour la silhouette, ni pour la tenue vestimentaire. La robe d'été, d'un tissu léger, clair, avec de nombreux plis qui évoquent l'Antiquité, y contribue aussi; l'air chaud que le soleil fait trembler, l'éblouissement, les jeux de la lumière viennent soutenir à leur tour la confusion. C'est Hanold seul, cependant, qui procède à l'identification complète des deux personnes, parce que son désir la lui suggère. Y a-t-il ici entrée en jeu du souvenir

---

a. *Wahnvorstellung.* Ici Jensen emploie pour la première fois le terme de *Wahn* (« délire »), influencé sans doute par son commentateur.

d'une camarade d'enfance, souvenir qui agirait au-dessous du niveau de la conscience? À cette question, je ne
peux répondre à coup sûr par l'affirmative, tout au moins
en ce qui concerne l'effet que la démarche de Gradiva
produit sur Hanold. C'est là que se trouve le vrai ressort
de toute l'action, car Hanold a accueilli en lui Gradiva
quand il était enfant, sans y rattacher de sentiment;
devenu adulte, la réapparition de la jeune fille produit
en lui une aspiration amoureuse indéterminée. Celle-ci,
se renforçant à mesure, détruit dans sa tête la domination
de la raison et la remplace par la puissance supérieure
d'un désir qui tient du rêve.

Voilà pour la pensée qui est à la base du déroulement
psychique. Les ornements qui l'entourent, les événements
qui le font avancer ainsi que le comportement de la
Gradiva vivante – qui reconnaît l'état de « folie » de
Norbert parce qu'elle en trouve en quelque sorte une
explication en elle-même –, tout cela ne nécessite sans
doute pas de plus amples commentaires. Ma petite histoire est le fruit d'une impulsion soudaine, qui montre
que ce qui m'y a poussé a probablement travaillé en
moi aussi. Je me trouvais en effet plongé dans un travail
de longue haleine, quand je le mis tout à coup de côté
pour jeter rapidement sur le papier, en apparence sans
préméditation, le début de l'histoire, qui a été menée à
son terme en peu de jours. Je ne suis jamais tombé en
panne, j'ai toujours tout trouvé tout prêt, derechef sans
avoir apparemment à réfléchir. L'ensemble n'a rien à voir
avec une expérience que j'aurais vécue au sens habituel
du mot; c'est de part en part, comme le titre l'indique,
une fantaisie; elle s'avance sur une arête pas plus large
qu'une lame de couteau, d'un pas somnambulique. C'est
au fond ce qui se produit dans toute création littéraire,

d'une manière plus ou moins reconnaissable, et *Gradiva,* dans ces conditions, a aussi été l'objet de jugements divers. Bien des lecteurs l'ont considérée comme une sottise puérile, d'autres y ont vu une de mes meilleures œuvres. Tout le monde reste prisonnier de soi dans ses jugements.

Je ne peux guère vous en dire plus, cher Monsieur, pour répondre à votre question. J'ajoute cependant que ma femme et moi serions très heureux de voir l'été vous conduire dans notre région et vous inciter à faire un détour vers la petite maison de campagne ci-dessus reproduite ᵃ, qui se trouve à vingt minutes de la gare de Prien.

Avec mon amical salut.

Votre dévoué
Wilhelm Jensen

Munich, Bavariaring 17
le 14 décembre 1907

Monsieur et cher Professeur,

Bousculé par le temps, tout particulièrement à cette époque de Noël où nombre d'enfants et de petits-enfants me sollicitent, je vous prie de vous contenter d'une réponse lapidaire.

Non. Je n'ai pas eu de sœur ni, d'une manière générale, de parents consanguins. Cependant *Der rote Schirm* [*Le parapluie rouge*] a été tissé à partir de souvenirs personnels

---

a. Elle était représentée sur l'en-tête de la lettre.

remontant à un amour de jeunesse pour une amie d'enfance qui a grandi près de moi et avec moi, et mourut phtisique à dix-huit ans. Il procède également de souvenirs de mes relations amicales – bien des années plus tard – avec une jeune fille que la mort enleva elle aussi brutalement; le parapluie rouge me vient d'elle. Dans l'œuvre, les deux figures se sont en quelque sorte fondues en une seule pour mon sentiment; l'élément mystique, qui s'exprime essentiellement dans les poèmes, tire également son origine de cette seconde personne. La nouvelle *Jugendtraum* [*Rêve de jeunesse*] – qui fait partie de mon recueil *Aus stiller Zeit* [*D'un temps calme*], tome II – repose sur le même fondement, mais ne concerne que la première de ces figures.

Im gotischen Hause [*Dans la maison gothique*] est tout entier une libre invention.

Avec mon amical salut.

Votre dévoué
Wilhelm Jensen

Traduit de l'allemand par Cornélius Heim

NOTICE MUSÉOGRAPHIQUE
SUR LE BAS-RELIEF ANTIQUE
CONNU SOUS LE NOM
DE « GRADIVA »

Le bas-relief que Jensen et plus encore Freud ont rendu célèbre sous le nom de *Gradiva* constitue un fragment d'un ensemble présentement morcelé entre le musée du Vatican, le musée des Offices de Florence et la Glyptothèque de Munich. Friedrich Hauser, dans un article du début de ce siècle, en a apporté la preuve.

L'ensemble, selon cette reconstitution, était formé de deux panneaux symétriques, chacun présentant un groupe de trois femmes dansant. C'est l'une d'elles, sur un fragment actuellement conservé dans les collections du musée Chiaramonti au Vatican, qui a eu l'heureuse fortune de devenir « Gradiva ». Il s'agit d'un marbre ayant présentement le numéro d'inventaire 1284, qui mesure 0,725 m de haut et 0,84 m de large.

Dans le groupe qui était le sien, la jeune « Gradiva » conduit vers la gauche l'évolution de ses deux compagnes. Elle se présente comme animée d'un mouvement retenu, inclinant avec une noble gravité son visage vers le sol. Son vêtement se compose d'une tunique (*chiton*) et d'un manteau (*himation*), dont le pan ramené en arrière de la tête couvre les cheveux déjà pris dans un bonnet. Il accompagne l'attitude de la jeune femme d'un jeu de plis où la recherche de l'harmonie épouse discrètement le désir de réalisme.

Se détachant sur un espace indéfini, la silhouette donne l'impression de l'équilibre le plus sûr. La main droite, sous le manteau, se situe au niveau de la hanche, à la même hauteur que la gauche, découverte, qui relève doucement l'étoffe pour empêcher qu'elle n'entrave l'avancée du pied.

Saisi dans un profil au contour net, où l'aisance s'allie à l'élégance, le corps est supporté par la jambe gauche, tandis que le pied droit laissé à l'arrière ne fait qu'effleurer le sol par l'avant de la semelle : la jeune femme est chaussée de sandales dont les lanières devaient être notées par la couleur.

Sur le même fragment romain, la compagne qui suivait « Gradiva » et qui a d'abord été interprétée comme un homme, se distingue par sa position presque frontale et par un costume qui comporte, outre le *chiton* et l'*himation,* un vêtement oriental à longues manches. La main gauche, ramenée sur la hanche, rythme le pas de la danseuse, tandis que la droite retient l'étoffe, créant un faisceau de plis qui rayonnent sur la partie inférieure du corps.

De la troisième figure du groupe, le marbre du Vatican ne donne qu'une main, la droite, une main qui tient une cruche d'où l'eau s'échappe. Un fragment du musée de Florence permet de la reconstituer, retenant elle aussi son vêtement dans le pas qu'elle esquisse.

Ce panneau de trois personnages féminins fait pendant à un autre, dispersé lui aussi entre les trois musées déjà nommés. Il présente également trois femmes dans une posture chorégraphique, la première et la troisième disposées de profil, tandis que la figure centrale se tourne vers le spectateur. Si l'esprit et le style de cette autre représentation l'associent clairement à la première, il faut remarquer que les trois danseuses se tiennent ici par la main, alors que les trois autres se suivent.

L'identification de cet ensemble ne va pas sans difficultés. La présence de la cruche sur le premier panneau, celui de « Gradiva », d'épis de blé dans la main de la danseuse qui conduit les évolutions de ses deux compagnes sur le second, ont fait conclure que le premier groupe représentait les Aglaurides, le second les *Horai,* c'est-à-dire les Saisons.

Nous retrouvons les mêmes incertitudes en ce qui concerne la datation des deux panneaux. Relevons d'abord que le style des deux compositions est d'un classicisme trop marqué pour être du premier degré : le profil « métallique » du contour des plis, la sérénité appuyée des postures, et surtout les physionomies, où la rêverie presque mélancolique ne parvient pas à effacer l'impression d'absence, trahissent la copie ou le pastiche. Le sculpteur devait sans doute exercer ses talents à l'époque d'Hadrien, en prenant, soit pour modèles soit pour source d'inspiration, des bas-reliefs attiques de la fin du ve ou du ive siècle avant notre ère. On a supposé aussi que les deux panneaux « citaient », à l'époque romaine, des motifs appartenant au décor de la base qui supportait les statues du culte de l'Héphaistéion, au bord de l'agora d'Athènes, décor exécuté vers 420 avant J.-C.

En fait rien de tout cela n'est bien solide. Le lien supposé avec des originaux de l'époque classique aujourd'hui disparus reste des plus ténus, dans l'état actuel de notre documentation. Il se pourrait aussi, comme certains n'ont pas hésité à l'affirmer, que les deux panneaux soient des pastiches tardifs, des images inventées par des artistes de l'époque romaine dans le style dit néo-attique.

L'œil plus froid et plus informé de l'archéologue contemporain a peine à envisager ces figures d'un classicisme trop démonstratif comme le faisaient les amateurs d'art du xixe siècle. Il y trouve moins de charme et plus de pose que le héros de la nouvelle de Jensen. Mais Norbert Hanold lui-même ne reconnaît-il pas, tout fasciné qu'il est par la jeune femme de marbre, qu'elle n'était sûrement pas « de bonne époque »?

Alain Pasquier

BIBLIOGRAPHIE

Les chiffres entre parenthèses placés après les titres originaux renvoient aux pages du présent livre.

G.W. = *Gesammelte Werke von Sigmund Freud*, S. Fischer Verlag, Francfort-sur-le-Main, 18 volumes.

BINET, A. (1888) *Études de psychologie expérimentale : le fétichisme dans l'amour*, Paris. (188)

BLEULER, E. (1906) *Affektivität, Suggestibilität, Paranoia*, Halle. (196)

DE SANCTIS, S. (1899) *I sogni* [*Les rêves*], Turin. (199)

FREUD, S. (1895*b*) « *Uber die Berechtigung, von der Neurasthenie einen bestimmten Symptomenkomplex als " Angstneurose " abzutrennen* », G.W., 1, 315. (206)
    Trad. : « Qu'il est justifié de séparer de la neurasthénie un certain complexe symptomatique sous le nom de " névrose d'angoisse ", trad. J. Laplanche, *Névrose, psychose et perversion*, Paris, Presses universitaires de France, 1978.

(1895*d*) en collaboration avec BREUER, J., *Studien über Hysterie*, Vienne, G.W., 1, 77 (sans les textes de Breuer). (198, 239)
    Trad. : *Études sur l'hystérie*, trad. A. Berman, Paris, Presses universitaires de France, 1967 (avec les textes de Breuer).

(1900*a*) *Die Traumdeutung*, Vienne, G.W., 2-3. (139, 140, 141, 143, 201, 202, 206, 221, 231, 232)

Trad. : *L'interprétation des rêves* [1], trad. I. Meyerson, révisée par D. Berger, Paris, Presses universitaires de France, 1967.

(1905e) « Bruchstück einer Hysterie-Analyse », *G.W.*, 5, 163. (197)

Trad. : « Fragment d'une analyse d'hystérie » (Dora), trad. M. Bonaparte et R. Loewenstein, revue par A. Berman, *Cinq psychanalyses,* Paris, Presses universitaires de France, 1970.

HAUSER, F. (1903) *« Disiecta membra neuattischer Reliefs »* [Disiecta membra de bas-reliefs néo-antiques »], *Jahrbuch des österreichischen archäologischen Institutes,* tome 6, p. 79. (249)

JUNG, C.G. (éd.) (1906) *Diagnostische Assoziationsstudien* [*Études d'associations en vue de diagnostics*], Leipzig. (196)

---

1. Dans le texte, l'ouvrage a été nommé *L'interprétation du rêve.*

INDEX

(Cet index ne concerne que le texte de Freud)